ZIEMOWIT
SZCZEREK
PRZYJDZIE MORDOR
I NAS ZJE, CZYLI
TAJNA HISTORIA
SŁOWIAN

Ziemowit Szczerek

Przyjdzie Mordor i nas zje,

czyli tajna historia Słowian

Korporacja Ha!art | Kraków 2013

ZIEMOWIT SZCZEREK, *PRZYJDZIE MORDOR I NAS ZJE, CZYLI TAJNA HISTORIA SŁOWIAN*, KRAKÓW 2013

Wydanie I
Printed in Poland

ISBN 978-83-62574-94-0

PROJEKT OKŁADKI | Balbina Bruszewska
REDAKTOR SERII | Piotr Marecki
REDAKCJA I KOREKTA | Marcin Piątek
PROJEKT TYPOGRAFICZNY, SKŁAD I ŁAMANIE | Małgorzata Chyc

WYDAWNICTWO I KSIĘGARNIA
Korporacja Ha!art
pl. Szczepański 3a, 31-011 Kraków
tel. 12 426 46 03 (księgarnia), 12 422 25 28 (biuro)
mail: korporacja@ha.art.pl
http://www.ha.art.pl/

DRUK
Drukarnia Stabil
ul. Nabielaka 16, 31-410 Kraków

Ja was przepraszam, panowie, ja was
bardzo przepraszam. Tak nie miało być.
Józef Piłsudski do Ukraińców wyrolowanych
przez Rzeczpospolitą. Obóz internowania
w Szczypiornie, 15 maja 1921 roku.

I. O ja

Pogranicznik w czapie jak dekiel od studzienki ściekowej patrzył na mój paszport.

– Łukasz Ponczyński – przeczytał.

– No tak – powiedziałem – nic nie poradzę.

– Narkotyków nie masz? – spytał polszczyzną dziwnie pozbawioną akcentu i ten brak akcentu nie pasował do jego niezgrabnego munduru, do tej jego czapki o średnicy koła od roweru, do której przypięty tryzub też zresztą nie pasował, bo tryzub to pasuje do czapki austriackiego wzoru, a nie do tej radzieckiej stolnicy.

– Czego? – spytałem, gapiąc się na tę czapkę. – Narkotyków? A co to?

Uśmiechnął się i przez chwilę w tym uśmiechu przypominał Eugeniusza Bodo z przedwojennych plakatów. Wbił mi pieczątkę do paszportu. – A na Ukrainę po co? – spytał jeszcze Bodo.

– Kości przodków wycałować – odpowiedziałem, choć specjalnie przodków na Ukrainie nie miałem. Pogranicznik się roześmiał.

– Idź – powiedział, przesuwając paszport w moją stronę po blacie obłażącym z politury – całuj.

Na busiki mówiło się tu „marszrutki". Tak mi powiedział Hawran, który na Ukrainie był już wcześniej. Teraz szliśmy we dwóch przez przykurzony, nierówny majdan. Rozglądałem się. Pierwszy raz widziałem tę poradziecką przestrzeń. Świat, który do tej pory mogłem sobie jedynie wyobrażać, nabierał kształtu, i to jakiego. Niektórzy faceci chodzili po nim w domowych kapciach w kratę. Jezus wymalowany na ścianie cerkwi był ciemny jak Kaukaziec. Od blaszanych kopuł rżnęło po oczach słońce.

Gapiłem się ukradkiem na ruskich bojczików w czarnych spodniach i mokasynach. Pierwszy raz zobaczyłem ich w naturalnym środowisku. Bojcziki emanowali bandyckim spokojem, ale widać było, że wystarczy sekunda, jeden impuls, pół impulsu, by dostali korby. Czułem to. Stali, charchali pod nogi i omawiali coś półgłosem, strzelając wokół białkami oczu.

A marszrutki to były stare mercedesy sprintery, fiaty ducato czy volkswageny transportery. Były jak woły pociągowe: wielkie, zakurzone, szeroko rozklapłe od ciągłego przeciążenia. Na bokach niektórych wypisane było coś po niemiecku: a to KREUZBERG KEBAB MUSTAFA, a to WURST UND SCHINKEN GMBH. Wyglądały jak sprzedane w jasyr. Musiały zapomnieć o swoim dawnym, szczęśliwym życiu na Zachodzie, o równych szosach i automatycznych myjniach, o garażach i odkurzaniu tapicerki miękkimi dłońmi. Tutaj zaprzęgnięte były do wolnej pracy w brudzie i znoju aż do śmierci. Los rabski. Ich metalowe kości miały w to błoto już na wieki wsiąknąć i nigdy nawet niczego nie użyźnić. Mercedesy sprintery i volkswageny transportery już nigdy nie miały ujrzeć wylizanego vaterlandu, alles ist verloren, alles ist kaputt. I stały teraz, kaputnięte takie, w tym żółtym upale, który zalewał zachodni skraj Ukrainy.

Karoseria naszej marszrutki, na której desce rozdzielczej leżała tekturka z napisem „LWIW", rozgrzana była jak blacha w starej kuchni. Nie dało się jej dotknąć. Chłonąłem tę nową rzeczywistość, zagęszczoną w upale jak kisiel.

Władowaliśmy plecaki na pakę i usiedliśmy. W rozgrzanym, pustym jeszcze wnętrzu tańczyły drobinki kurzu. Pachniało skajem siedzeń, smarem i benzyną. To był przyjemny zapach.

Kierowca miał przedramiona całe w zielonych tatuażach. Był tam jakiś rekin, jakaś syrena. Patrzyłem, czy ma Lenina, ale nie miał. Całe szczęście, że choć gwiazda była. Nie poruszył się, dopóki całej marszrutki, od ściany do ściany i od podłogi po sufit, nie wypełniło różowe ludzkie ciało odziane w spraną bawełnę. Dopiero wtedy drgnęły mu mięśnie pod tymi zielonymi dziarami. Wrzucił pierwszy bieg i marszrutka ruszyła. Wydawało się przez chwilę, że ten przeciążony z pięć razy busik wypieprzy się jak długi na wymęczony asfalt, ale po chwili złapał pion i jakimś cudem wytoczył się z majdanu na szosę.

Było gorąco i duszno, a okien otworzyć nie pozwalali. Gdy próbowałem, to pół marszrutki zaczęło na mnie wrzeszczeć, żebym zamknął, bo wszystkich zawieje i pomrą. Babuszki na mnie krzyczały, krzyczeli młodzi kolesie z butami w szpic, krzyczały dziewczynki z zawieszonymi na szyjach komórkami, z których dobiegało bzyczące ruskie dicho.

– Zostaw – powiedział Hawran ze zblazowaną miną znawcy tematu – to nic nie da. Tutaj nie wolno otwierać okien. W autobusach, pociągach. Nie wolno i już. Zakazane. U nas się mlekiem nie popija mięsa i wodą owoców, a tutaj się nie otwiera okien w czasie jazdy. Siadaj na dupie i uszanuj.

Tak, Hawran już kiedyś był na Ukrainie. I z tego powodu robił teraz za mędrca-przewodnika.

Wrócił z tej Ukrainy jak traper z dzikich gór i tak długo opowiadał w Krakowie o cudach i niesamowitościach podróży, że w końcu się z nim wybrałem – zobaczyć na własne oczy. I oto jestem.

Za brudnymi firankami ciągnęła się Galicja. Teraz już ukraińska, nie polska. I wyglądało to wszystko tak, jakbym wjechał na teren historii alternatywnej własnego kraju. Tak zresztą było przecież naprawdę.

A potem zaczął się Lwów.

To miasto nie powinno istnieć – myślałem, patrząc przez okno. Polski mit jego stracenia jest tak mocny, że po prostu nie powinno go być. A ono stało sobie w najlepsze i w dodatku bezczelnie wyglądało mniej więcej tak, jak przed swoją regionalną apokalipsą...

Od razu, gdy tylko wysiedliśmy z marszrutki na lwowskiej ziemi, Hawran poleciał do apteki kupić ten legendarny balsam Wigor, o którym tyle już zdążyłem od niego usłyszeć.

– Ten Wigor – mówił Hawran – to jest formalnie niby lekarstwo, dlatego można go kupić tylko w aptece. Nie wiem na co to lekarstwo, na coś tam, wyciąg z dwunastu ziół, dwunastu ukraińskich wojowników, men, a działa jak bałtycka herbatka z Pielewina, kokaina z wódką. Wszyscy Polacy, co przyjeżdżają do Lwowa, to tu piją.

Usiedliśmy na jakimś koszmarnym placu zabaw, pełnym kiepów, porozbijanych butelek. Zaraz obok stał pomnik Stepana Bandery. Bandera był w krawacie i w rozwianym, rozpiętym prochowcu i miał taką minę, jakby stojąc na przystanku tramwajowym, zorientował się, że nie wyłączył żelazka. Był desperacko gigantyczny i budził przede wszystkim rozczulenie w swoim przerośnięciu i zagubieniu.

Usiedliśmy i Hawran rozrobił balsam Wigor z kwasem chlebowym. Piliśmy, patrząc, jak po placu wolno spacerują ludzie. Idealnie pasujący do otoczenia. Tak samo jak ono ledwo ledwo zbierający własne kształty do kupy.

No ale balsam faktycznie działał. Piłem go i – faktycznie – czułem, jak w moje żyły wstępuje siła, moc i euforia, jakiej nie czułem już od bardzo, bardzo dawna.

A im więcej piłem, tym bardziej podobało mi się tutaj. Bo wszystko tu było podkręcone na maksa. Do oporu.

Sowieckie samochody rwały po tych monstrualnych wybojach jak popieprzone, gubiąc jakieś przerdzewiałe części. Jak żywe trupy w filmach o zombie apokalipsie. Ze ścian starych kamienic sterczały kominy piecyków-kóz. Na dachach rosły drzewka. Na trawniku, gdzieś na Żółkiewskim Przedmieściu, leżała staruszka. Podbiegliśmy, by jej pomóc i poczuliśmy bijącą od niej woń alkoholu. Rzuciliśmy się na nogi ją stawiać, ale babcia nie potrzebowała naszej pomocy. Leżała sobie w słońcu, tchnęła alkoholem i dobrze jej było na świecie, jak Diogenesowi wylegującemu się przed beczką. Łagodnym głosem kazała nam się odpierdolić, więc w końcu zostawiliśmy ją na tym trawniku i sami poszliśmy się upijać. Wszystkim, czym się dało.

Ukrop lał się z nieba i sprzedawczynie wychodzące palić papierosy przed sklep kryły się w maleńkich placuszkach cienia rzucanego przez okapy domów. Zupełnie jakby kryły się przed deszczem. Ulica wyglądała, jakby przez ostatnich sto lat świat ograniczył się do starzenia. Do zużywania się. I do niczego więcej. Kamienie brukowe w jezdni rozjeżdżały się i klęsły w błocie. Chodniki przypominały narowistą rzeczkę zastygłą w betonie. Gdzieniegdzie ziała otwarta studzienka ściekowa. Kamienice ociekały starością, brudem i zniszczeniem.

Nie mogłem pojąć, czemu tak dobrze się czuję.

Po rynku dreptali starsi Polacy: lokalni i przyjezdni. Można było od razu rozróżnić, kto jest kim. Ci przyjezdni łazili powoli, z namaszczeniem, nieco natchnionym krokiem, i półgłosem narzekali. Głośno chyba jednak się bali. Mieli pretensje, że rozjebane, że zniszczone, że UPA, że Bandera. Jęczeli, że Jałta i Stalin. Mendzili, że Szczepcio i Tońcio.

Ci lokalni Polacy natomiast kręcili się żwawo, oczkami łyskali w jedną i w drugą, jak to ludzie węszący za interesem. Bezbłędnie wyłuskiwali z tłumu turystów z Polski, podchodzili i pytali, czy nie trzeba mieszkania na wynajem albo mapki z polskimi nazwami ulic. Dorzucali na zanętę parę słów o złych Ukraińcach i wielkości dawnej Rzeczpospolitej.

I ci Polacy z Polski łapali się na tę bajerę Polaków z Ukrainy jak młode rybki. Wystarczyło, że podszedł taki lwowski Polak, poopowiadał o przedwojennym Lwowie, zanucił *W dzień deszczowy i ponury*, powiedział „czujci si jak u siebi w domu, bo to i wasze miasto, ta joj", a już Polacy z Polski cali byli we łzach, już byli rozklejeni cali, rozjechani, jakby ich samochód potrącił, już chlipali, już im z nosa leciało, już się za portfele łapali, mapki kupowali, przewodniki, mieszkania wynajmowali.

I taki właśnie lwowski Polak do nas podszedł. Miał na imię Jurij. I choć po polsku średnio mówił, to się zarzekał, że Polak z niego z krwi i kości. Co akurat na nas zresztą wrażenia nie robiło, bo ostatnią rzeczą, której wtedy we Lwowie szukaliśmy, była polskość.

– Dobrze, że Lwów nie jest polski – mówiłem akurat Hawranowi, niesiony powigorowym słowotokiem. – Bo cóż to byłby za fun przyjechać do polskiego Lwowa. Tak jakbyś do Poznania pojechał. Albo do Wrocławia. A tak – proszę bardzo. Przecież co tu się dzieje. Przecież, no stary. Rozejrzyj się. Odpadasz. Wysiadasz. Men.

I brałem łyk balsamu Wigor, po którym świat już nie był tym, czym był.

No, ale podszedł ten Jurij. Z wąsem pod nosem, oczami smutnymi i z mapą Lwowa na sprzedaż. I mówił, że mieszkanie ma tanio. Mapy nie chcieliśmy, ale jakieś lokum by się zdało – ocenił Hawran, i trudno było się z nim nie zgodzić, bo wieczór się zbliżał, a my byliśmy już rozkosznie nawaleni, ale raczej bez planu. Spytaliśmy Jurija, gdzie ma to mieszkanie, na co on, że niedaleko, że luz.

– Dobra – powiedział Hawran – to zrzucimy plecaki i będziemy mieli kimę. No i wiesz – ściszył głos, zerkając na mnie konspiracyjnie – mamy lokalnego. Rozumiesz.

Kiwnąłem głową, że tak. Ale po zastanowieniu powiedziałem, że jednak nie.

– No – westchnął Hawran, jakby do idioty przemawiał – mamy lokalnego do picia. Co to za Ukraina, co to za hardkor bez picia z lokalnymi, men. U Ruskich musisz się z Ruskimi napić. Inaczej się nie liczy.

– Przecież ten mówi, że Polak.

– Jaki to, kurwa, Polak – odpowiedział Hawran. – Zresztą, nawet jeśli Polak, to i tak Ruski. Wyobrażasz sobie – żyć tu całe życie i nie być Ruskim?

– Idziemy, idziemy – niecierpliwił się pan Jurij, rozglądając się dziwnie niepewnie dookoła.

Blisko jednak nie było. Szliśmy wzdłuż torów tramwajowych wyrzynających się z bruku jak wyprute z ręki żyły, a później skręciliśmy w prawo, w przepust między karłowatymi kamienicami.

I weszliśmy do innego świata.

– Gdzie my jesteśmy? – spytał Hawran, rozglądając się dookoła oczami jak pięciozłotówki.

– Zamarstyniw – odpowiedział Polak Jura. – Znaczy: Zamarstynów – poprawił się.

– Ynów, ynów, nie yniw – poklepał Hawrana po plecach.

Ta okolica nie przypominała niczego, co do tej pory widziałem. To była dzielnica, która udowadniała, że ludzkie osiedla mogą się rozrastać i rozpleniać same, jak lasy, jak chaszcze. Wystarczy nie przycinać. Że to, co wytwarza człowiek, niczym się nie różni od natury i, tak samo jak las obrasta krzaczorami, mchem, jemiołą, tak tutaj wszystko, wszystkie domy obrosły jakimiś budami, jakimiś płytami pilśniowymi, kawałkami billboardów nawet, które montowano zamiast ścian i dachów szop. Ta rzeczywistość tworzyła się sama, bez planu, kierowana jedynie wewnętrzną potrzebą i możliwością jej spełnienia. Forma i estetyka zostały odrzucone jako sprawy absolutnie drugorzędne. Jako fanaberie.

No i wszystko to taplało się w zielonej kąpieli z pianą. Drzewa i krzaki szalały jak opętane. Czambuły trawy najeżdżały wszystko, co miały na drodze, a nienatura wtapiała się w naturę swobodnie: pęki przewodów zwisały jak liany, stosy rdzewiejącego żelastwa i właściwie wszystkiego zalegającego w bezładzie po podwórkach przypominały coś organicznego, coś, co zaraz zacznie wypuszczać pędy i gałęzie.

Przy czym cała część wspólna, przestrzeń publiczna – po prostu nie istniały. Drogi nie było, bo tę rozjeżdżoną, dziurawą przestrzeń trudno było nazwać drogą. Nie wspominając o takim francuskopieskowstwie jak chodniki.

I w tym wszystkim, w tym całym cudzie, strasznie pachniało świeżo paloną kawą.

– Kawozawod – powiedział Jurij, gdy zobaczył, że ruszamy nosami jak króliczki, i wskazał ceglany budynek stojący za rzędem domów. – Tam kawę robią.

W domu Jurija mieszkała jego żona – wiecznie obrażona pani o nosie zaostrzonym jak ołówek. I starzy rodzice: dziadunio radosny jak pies i urocza babuleńka. Sam dom przypominał kilkanaście domków działkowych zsuniętych razem i połączonych w jeden organizm. Każdy pokój był z zupełnie innej bajki. Najbardziej poruszające były próby ozdobienia tego bezformia. Rabatki na podwórzu otoczone były niby--murkiem z ułożonych na trawie ułomków cegieł, i ten niby-murek z całą powagą pomalowany był białą farbą. Na ścianach wisiały gipsowe stiuki, które musiały kiedyś odpaść z jakiejś kamienicy.

Z dziadkami nie dało się pogadać. Na wszystkie pytania odpowiadali np.: „Jezus Chrystus, król Polski, alleluja, alleluja, amen", albo: „Kto ty jesteś? Polak mały, bolszewika goń, goń, goń". Sprawiali wrażenie, że nie do końca rozumieją, co mówią.

Zrzuciliśmy plecaki w pokoju przypominającym kajutę na jakiejś krypie, zapłaciliśmy Jurijowi i wyszliśmy na podwórze.

– No i co? – spytał Hawran, uśmiechając się półgębkiem z nieodpalonym jeszcze papierosem w ustach.

– No – musiałem przyznać. – Nieźle.

Usiedliśmy przy ustawionym pod czereśnią stoliku. Był okryty ceratą przypiętą do blatu pinezkami, żeby nie odfrunęła. Podałem Hawranowi ogień. Babuleńka przyszła z dwiema herbatami. Wyszedł też dziadunio. Wyjął papierosa i odpalił go zapałką.

Hawran chrząknął.

– Proszu pana – zaciągnął ze wschodnia, patrząc na dziadka – gdzje by tu młożno kupić wódki?

Parsknąłem. Dziadek też wyszczerzył się szeroko i odpowiedział rozedrganą polszczyzną:

– Jeszcze Polska nie zginęła, daj nam, Boże, zdrowie.

– U niego Alzheimer – wytłumaczył pan Jura, który pojawił się w drzwiach. – Idziecie, panowie, jeszcze w miasto, pogulat'? Bo niedługo ciemno będzie.

– A... e... – nie poddawał się Hawran. – A może jakiś kieliszeczek na drogę? Jakiś strzemienny?

– Jaki? – udawał, że nie rozumie pan Jura, bo widać było, że jest średnio entuzjastycznie nastawiony do idei kieliszeczka.

– No może byśmy – wykonał Hawran gest strzelania bani – coś sobie chlup?

Pan Jura popatrzył ponuro na Hawrana, potem na mnie, westchnął i poszedł do domu. Wrócił z wódką i dwoma kieliszkami. Nalał nam.

– A pan? – spytał wyraźnie rozczarowany Hawran.

– Ja nie piję – odpowiedział pan Jurij.

Wypiliśmy w milczeniu, podziękowaliśmy i wyszliśmy.

Hawran czuł się oszukany.

– Co to za kwatera u Ruskiego, co nie pije – warczał. – Mógł powiedzieć na początku, to byśmy poszukali u kogo innego! No żesz kurwa mać...

– No – odpowiedziałem dość bezmyślnie, rozglądając się po okolicy. – Patrz. Tam jest sklep. Chodź, kupimy sobie jakieś browary.

Było coś lepszego niż browary. Nazywało się „dżintonik" i było sprzedawane w małych buteleczkach po 0,33. Kobieta za ladą posługiwała się liczydłem. Kupiliśmy jeszcze – z czystej ciekawości – kilka paczek suszonych anchois i wyszliśmy w pachnący kawą wieczór. W drzwiach minął nas żołnierz wojsk MSW. Był wysoki jak latarnia morska. Miał czarny beret i gigantyczne, sztywne pagony, wystające daleko poza ramiona. Przyglądał nam się z taką ciekawością, jakbyśmy stanowili nowy, nieznany gatunek człowieka.

Tak samo patrzyła na nas pani biletowa w tramwaju. Kokosiła się na plastykowym siedzeniu, w niebieskim kitlu, w domowych bamboszach i z rolką biletów zawieszonych na szyi, i obserwowała nas ukradkiem. A my obserwowaliśmy ją.

I znów byliśmy na lwowskim rynku, tyle że zaczęło się już robić ciemno. Krążyliśmy zrujnowanymi uliczkami, popijając dżintonik na przemian z Wigorem i już nam absolutnie w głowach trzeszczało.

Chwialiśmy się właśnie w najlepsze przed katedrą Ormiańską, gdy podeszła do nas ondulowana na różowo baba, po polsku pochwaliła pana Jezusa i zapytała, czy nie szukamy aby kwatery, bo jakby co to ona ma.

– Mamy już – powiedział Hawran – dziękujemy.

– A u kogo? – spytała ona mrużąc oczy.

– A u takiego Jurija – odpowiedział Hawran.

– A gdzie? – upierała się baba. – Jurij, Jurij – zastanawiała się.

– Na Zamarstynowie. Na Kwiatowej. Kwitowej znaczy. Znaczy Kwiatowej. Znaczy, no.

– No co pan! – wydarła się baba, zakumawszy, który Jurij. – U tego złodzieja!

– Ee – powiedział Hawran – dużo to nie wziął. Ale wódki nie chciał pić... – poskarżył się.

– Ale on nie jest Polak! Tylko udaje! – machała rękami baba – on jest niekoncesjonowanym, nieprawdziwym Polakiem i polskich turystów na pokuszenie zwodzi!

– No trudno – mruknąłem. – No ale cóż począć.

– Wyprowadzić się! – powiedziała stanowczo. Wyglądała jak stereotypowa Rosjanka, złote zęby, róż na wyschniętych policzkach. Rosjanka, którą ktoś nieudolnie dubbinguje na polski. – Do prawdziwych Polaków iść żyć! Polacy do Polaków!

– No, następnym razem – powiedział Hawran – to na pewno. Polacy do Polaków i tak dalej, ale teraz, pani wybaczy...

– My tu mamy takie stowarzyszenie – dźgnęła mnie boleśnie purpurowym pazurem w splot słoneczny – Stowarzyszenie Polskich Właścicieli Polskich Mieszkań Pod Wynajem Dla Polskich Turystów Przyjeżdżających Na Lwowską Ziemię, w skrócie esPewuPeeMPewuDePeTePeeNeLZet, pan powtórzy, to zapamięta...

– Popocatepetl – powtórzyłem posłusznie.

– Tak, no i tylko my jesteśmy koncesjonowaną polską organizacją, która ma monopol na wynajmowanie mieszkań przez Polaków dla Polaków...

– A kto wydaje koncesję? – zainteresował się Hawran. Baba go zignorowała.

– Prosimy zgłaszać każdy wypadek nadużycia i w ogóle, no, każdy wypadek podszywania się nie-Polaka pod Polaka, a najlepiej to pojechać do tego Jurija już teraz, zabrać bagaże, i, proszę państwa, ja mam tu takie piękne lokum niedaleczko, na Doro... Sykstuskiej, tak dawajcie, pajediom...

– Dziękujemy, dziękujemy, Bóg panią błogosławi, to jak

przyjedziemy znów zobaczyć miasto Lwów, semper fidelis, lis Witalis – wymawiał się Hawran, gnąc się w ukłonach i rakiem się wycofując. Szybko podłapałem jego strategię i zacząłem robić to samo. Musieliśmy dziwnie wyglądać, grzejąc pokłony przed ondulowaną furią z pazurami jak strzyga, bo ludzie przystawali na ulicy i patrzyli, co też z tego będzie – może jaki teatr uliczny? Ale my odwróciliśmy się i poszliśmy dalej. W ulicę Ormiańską.

Po dwudziestej drugiej miasto już się zamykało. Tak wtedy było, w dwa tysiące drugim roku. O dwudziestej drugiej kończyło się życie, a Lwów, podobnie zresztą jak w tamtych czasach Warszawa, zamieniał się w sypialnię. Porządnie nawaleni snuliśmy się uliczkami i szukaliśmy czegokolwiek, co mogło być otwarte i sprzedać nam procenty.

Wreszcie, gdzieś w okolicach ulicy Łesi Ukrainki, usłyszeliśmy znajome dźwięki. Bardzo znajome. To był *Bal u weteranów*. Lokal mieścił się na parterze i przez okno widać było muzyków: wyglądali jak porządne baciary – kaszkiety kraciate, marynareczki, fulary – wszystko było. Weszliśmy. Usiedliśmy przy stoliku, a wokalista – zasuszony dziod o wyglądzie takim, że Himilsbach by się zaniepokoił, gdyby go zobaczył – zachrypiał:

– Opiwnoczi si z'jawili jakis dwa ciwili. Mordy odrapani, kosmy jak badyli.

– Ty – powiedział skonsternowany Hawran.

– No właśnie – odpowiedziałem wsłuchany.

– Nicz nikomu ne wpowili, tylki mordy bili... – śpiewał dziadek.

– O kurwa – powiedział Hawran zamyślony.

– No – odpowiedziałem.

– Piwo czy wódka? – spytał kelner.

– Wódka – powiedzieliśmy obaj naraz.

– A szo – powiedział kelner, patrząc na nas uważnie i uśmiechając się pod bardzo kelnerskim wąsem – wy dumali szo sered baciariw Ukrainciw ne buło, czy szo?

– Sam żeś jest nebuło czyszo – mruknął pod nosem Hawran, gdy kelner odchodził z zamówieniem.

2. Samobójstwo Brunona Schulza

Niby pojechaliśmy do Drohobycza szukać Schulza, ale tak naprawdę wschodu szukaliśmy. Tej wschodniej, posowieckiej egzotyki. Ruskości.

Kierowca marszrutki wyglądał na maniaka. Był z niego kawał kutasa i powarkiwał na nas wszystkich dookoła. Na mnie i na Hawrana też.

Jedno oko miał zielone, a drugie – błękitne. Zauważyłem to, gdy płaciłem mu za przejazd i gdy rzuciłem mu na deskę rozdzielczą dwóch niebieskich Jarosławów Mądrych. Popatrzył na mnie tym swoim wzrokiem wariata i wiedziałem, że będzie ostro. No i było, bo maniak pędził środkiem szosy, dokładnie pośrodku miejsca, w którym powinien być namalowany środkowy pas (ale go nie było), i nie bał się niczego. Ja bałem się za niego. Hawran, widziałem, też miał trochę stracha, ale nadrabiał miną, że niby nie, nieustraszony, jemu nie pierwszyzna, on ze wschodem obyty.

Maniak przez cały czas kogoś wyprzedzał. Wyglądało na to, że taki miał cel życiowy. Wyprzedzić w życiu jak najwięcej samochodów. O milimetry unikał czołówek, ale cały czas łykał auto za autem, całą tę rozlatującą się poradziecką drogową menażerię. Bo to festiwal żywych trupów był, to, co działo się na drodze. Zdychające żiguli, półmartwe zaporożce, ożywione już tylko chyba jakąś magią; wołgi, które skowytały o litościwą śmierć, zakończenie cierpień.

Było południe i upał, pole ciągnące się po horyzont wyglądało, jakby płonęło zielenią.

– Nie masz wrażenia, że horyzont jest jakby dalej niż u nas? – spytałem Hawrana nieco rozmarzony.

– Nie – mruknął Hawran, nie patrząc nawet za okno. Był wściekły. Oglądał zdjęcia na aparacie fotograficznym. Zrobił je wczoraj wieczorem i dziś rano, we Lwowie. Było na nich głównie połupanie, zniszczenie i demolka. Bardzo malownicze. I różne ciekawostki: anglojęzyczne menu ze lwowskiej restauracji, na której kurze udko było opisane jako „chicken foot", a kurczak po chińsku – jako „chicken on People's Republic of China". Albo facet na ulicy przebrany za świnię i reklamujący jakiś sklep mięsny, którego właściciel zbyt mocno wziął sobie do serca zasady zachodniego marketingu. No i zrobione ukradkiem zdjęcie milicjanta, który odlewał się na koło własnego radiowozu marki łada samara na jednej z nieasfaltowanych uliczek Zamarstynowa. To znaczy – Hawranowi wydawało się, że robi mu to zdjęcie ukradkiem. Bo milicjant – młody gówniarz, wyglądający jakby właśnie skończył gimnazjum – zauważył i zaczął na Hawrana wrzeszczeć. Wtrąciłem się, więc zaczął drzeć się i na mnie. Domagał się naszych paszportów, których mu nie daliśmy – dasz gnojowi dokumenty, to je potem trzeba będzie wykupywać za grubą kasę. Ale widać było, że właśnie o kasę mu chodzi. Bo o co innego. Chciał sto dolarów za znieważenie funkcjonariusza. Hawran roześmiał mu się w twarz. Milicjant, dość niespodziewanie, popchnął go i złapał za ręce. Zanim zdążyłem zareagować, zbaraniały Hawran już stał twarzą do płotu, z rękami opartymi o sztachety i nogami szeroko, a młody przetrzepywał mu kieszenie. Znalazł w bojówkach Hawrana sznurek, odrzucił go na bok, a potem – scyzoryk. Szpanerski, szwajcarski, w którym było ostrzy chyba z pięćdziesiąt: do ryb, do filetów, do konserw, do tego jakieś wytryszki, latarka nawet była, wiertarki tylko brakowało. Gówniarz pobawił się nim chwilę, po czym podstawił Hawranowi ostrze pod nos i poinformował, że to broń biała, a to jest poważne przestępstwo, bo takiej broni na Ukrainę nie można przemycać i że to się skończy dla nas więzieniem.

– Dobra, kolego – powiedział Hawran po polsku – nie pierdol, ile?

– Sto – powiedział gówniarz, niby to koncentrując się na otwieraniu i zamykaniu ostrza. Hawran sięgnął po portfel i wyjął sto hrywien. Gliniarz się roześmiał.

– Dolarów. Mówiłem przecież.

– Chyba cię pojebało – warknął Hawran.

– To ile dasz? – targował się milicjant.

– Pięć ci mogę dać.

– Dawaj paszport.

– Dziesięć.

– Paszport dawaj.

– To ile?

– Siedemdziesiąt.

– Słuchaj – Hawran próbował ratować resztki godności, dlatego warczał na niego jak pies – mogę ci dać maksymalnie dwadzieścia i ani, kurwa, centa więcej.

Gliniarz zmrużył oczka, bladoniebieskie jak suknia Najświętszej Marii Panny.

– Dobra – powiedział – dawaj dwadzieścia.

Hawran wyciągnął dwie dziesiątki z wewnętrznej kieszeni spodni. Musiał mieć przygotowane na okazje tego typu. Gliniarz przykrył dłonią jego dłoń i forsa, jak na występie Houdiniego, zniknęła.

– Dawaj nóż – Hawran wyciągnął rękę. Gliniarz podetknął mu pod nos zamknięty scyzoryk.

– Konfiskata – powiedział – to bardzo niebezpieczne narzędzie. Schował scyzoryk do kieszeni, podszedł, bujając się jak kowboj, do swojej łady samary, wlazł w nią i odjechał. O zdjęciu zapomniał. Albo od początku miał je w dupie. Hawran puścił za nim taką wiązankę bluzgów, że aż baby z sąsiednich domów wyszły na werandy.

No i teraz Hawran czuł się upokorzony i wściekły.

Na drohobyckim dworcu smutne babuszki sprzedawały, co się dało. Jakieś baloniki, noże, ręczniki. Pozbywały się kolejno wszystkiego, co udało im się w życiu nagromadzić, żeby jakoś pociągnąć jeszcze tych kilka lat. Nikt nie kupował, bo ich życia były nikomu niepotrzebne. Każdy miał wystarczająco własnych problemów ze znalezieniem uzasadnienia dla własnego.

Faceci w przydworcowej knajpie zgodnie twierdzili, że za Sojuza było lepiej i trzeba było oczu nie mieć, żeby – niechętnie bo niechętnie – nie rozumieć, że mieli rację.

– Rzecz w tym – tłumaczył facet z fryzurą à la lata siedemdziesiąte, podobny do Kazimierza Deyny – że za komunizm brali się nie ci, co potrzeba. Znaczy – Moskale. Oni czego nie zaczną, to spierdolą – twierdził, pijąc swoje piwo ze spokojem dziwnie nie pasującym do tego apokaliptycznego rozkurwienia, które wokół panowało.

Ten jego spokój mógł się kojarzyć tylko z ciszą przed burzą i wydawało się, że facet zaraz wyjmie spod stołu pepeszę i obróci cały ten lokalik w perzynę. Że po prostu dokumentnie rozpierdoli wszystko dookoła: bar, barmana, tych kilka butelek, które stały na półkach, telewizorek na lodówce, gości, w tym nas oczywiście. Ale nie tylko, bo do rozpierdolenia był tu jeszcze grubas z karkiem jak słonina, który drapał się po jajach kluczykami do samochodu, jakiś nieokreślony dziadek, który mógł w przeszłości być kimkolwiek – od żula po generała, jakichś kilku młodych, krótko ostrzyżonych kolesi o twarzach drapieżników. Wisiało tu coś w powietrzu, jakieś napięcie, coś tu wyglądało tak, jakby zaraz miało zacząć się dziać – a Deyna był na to wszystko o wiele za spokojny. Dlatego kojarzył się ze spustem, który zaraz się uruchomi.

– Gdyby za komunizm wzięli się Niemcy czy, jeszcze lepiej, Szwedzi – ciągnął Deyna – to cały świat wyglądałby inaczej. Wszyscy by pojęli, że to najlepszy system, jaki może być. Bo tak – Deyna zaczął odginać palce – pracę masz, dom masz, spokojną głowę masz, urlop masz, wszystko masz. Tyle że – przestał odginać i strzepnął popiół z podjętego z popielniczki papierosa – wzięły się za to kacapy. I spierdoliły, jak wszystko inne. Spierdolić taką piękną ideę! – westchnął z prawdziwym żalem, łącząc w ten sposób swoją galicyjską prozachodniość ze świadomością, od której odciąć się po prostu nie mógł: że za Sojuza było lepiej.

Dopiliśmy piwo i zaczęliśmy zbierać się do wyjścia. Nie chcieliśmy, żeby to przy nas eksplodowała ta energia, która tutaj się ulatniała jak gaz z kuchenki.

– Mylisz się, Bohdanie – powiedział tymczasem nieokreślony dziadek, kiepując papierosa w wielkiej, ciężkiej popielniczce, za pomocą której można by komuś spokojnie roztrzaskać czaszkę. – Gdyby to Niemcy albo Francuzi robili światowy komunizm, to znowu trzeba by było mieć wobec nich kompleksy. A w Sojuzie to Moskale mieli kompleksy wobec nas, bo u nas zawsze było bardziej kulturno niż u nich.

– A u Estońców bardziej niż u was. Chuj wam wszystkim w usta, banderowcy jebani – powiedział głośno po rosyjsku grubas, który przestał drapać się po jajach, dopił jednym haustem piwo, skiepował papierosa, wstał i wyszedł, trzaskając drzwiami. Przez okno widzieliśmy, jak wsiada do wyklepanego audi setki i tak wykurwia z piskiem opon, że babuszka handlująca opodal jajkami mało zawału nie dostała.

Sowieckie blokiszcza opanowały galicyjskie pagórki jak wojsko, które opanowuje strategiczne wzgórza. Szliśmy do centrum długą, nużącą drogą prowadzącą przez osiedle chruszczowych bloków. Pomiędzy blokami stała stara cerkiewka, ostatni ślad tego, co było tu wcześniej. Bloki stały nad nią jak dresiarze nad ofiarą, której chcą wpierdolić. Na ich balkonach składowano drewno na opał, a z okien sterczały kominy kóz.

Pod cerkiewką spotkaliśmy młodego Polaka z plecakiem. Na nasz obraz i podobieństwo. Czaił się za płotkiem i próbował zrobić zdjęcie trzem dziadkom siedzącym na ławce pod blokiem aparatem z gigantycznym obiektywem. Waliło od niego balsamem Wigor na kilometr.

– Patrzcie na tych dziadków – powiedział, gdy podeszliśmy. – Coś w nich jest – powiedział, odpalając fajkę – takiego, no, błogosławionego. Jakaś odwieczna mądrość jest wypisana, rozumiecie... na twarzach. Takie... spokojne pogodzenie się z losem, no... takie oświecenie jakby.

– Tak – odpowiedział Hawran, który ewidentnie potrzebował się na kimś wyżyć – od bezrobocia i opierdalania dostaje się najlepszego oświecenia.

Koleś popatrzył na nas jak na barbarzyńców.

– Nic nie kumacie – odpowiedział.

Z cerkiewki wyszła dziewczyna. Krótkowłosa, w japonkach, z pięknymi stopami i nogami wyrastającymi z dżinsowych spodni obciętych w samym kroku. Miała czarne, bardzo czarne oczy. Jakby ktoś jej wystrzelił dwie dziury w głowie. A zaraz za nią pop. Rozmawiali po ukraińsku. Pop miał taką minę, jakby się zastanawiał, gdzie by tu ją zaciągnąć, żeby dało radę ją spokojnie stuknąć. Był ewidentnie rozczarowany, gdy dziewczyna podeszła do kolesia z aparatem i go objęła. Polak i Ukrainka. Fotograf obserwował spojrzenia, jakimi oblepialiśmy krótkowłosą i nałożył na siebie uśmieszek charakterystyczny dla chłopaków niewyobrażalnie pięknych dziewczyn – wymuszonego pobłażania i nieszczerej ironii.

– Wy do Schulza? – spytał. – Miejsce, gdzie go zabili, poznacie po zniczu. Bo go zapaliłem – pochwalił się.

– Ojczyzna ci tego nie zapomni – Hawran poklepał go po ramieniu, a udom i łydkom puścił oko. Dziewczyna spojrzała na niego z pogardą. Tymi wystrzelonymi dziurami.

Był znicz, był. Stał pod schodami piekarenki, której szyld głosił „Swiżyj chlib". Nawet się palił. To w tym miejscu zwłoki Schulza leżały przez cały dzień, bo Niemcy z jakiegoś powodu nie pozwolili ich stamtąd zabrać. Próbowałem sobie to wyobrazić. Jego, leżącego, małego, czarniawego, w ciężkim, zimowym płaszczu – ale nic z tego nie wyszło. Tak samo jak nie mogłem sobie tutaj wyobrazić tych erotycznych korowodów z *Xięgi Bałwochwalczej*. To musiałoby wyglądać po prostu głupio. No, ale trudno w ogóle było sobie wyobrazić w Drohobyczu cokolwiek, co działo się przed czasami radzieckimi. Nawet Galicję. Związek Radziecki przywalił Galicję swym kostropatym cielskiem, i to cielsko nadal tu leżało, bo choć zdechło, to nie było jak go pochować.

Poszedłem więc do apteki po balsam Wigor, a Hawran do spożywczaka po kwas chlebowy. Jak zawsze, gdy kupowałem Wigor, aptekarka uśmiechała się pod nosem. Peszyło mnie to.

– Co jest takiego zabawnego w balsamie Wigor? – spytałem.

– Ależ nic, nic – odpowiedziała ona.

– Ale przecież widzę – powiedziałem. Pokręciła głową i oznajmiła, żebym się nie przejmował i że wszystko jest w porządku. Wzruszyłem ramionami. Wziąłem dwie flaszki i wróciłem na schodki. Hawran już siedział. Znicz zapalony przez fotografa płonął mu u stóp. Popijaliśmy i patrzyliśmy na drohobycki rynek.

– Zapaliliście znicz? Jak ładnie – usłyszeliśmy nagle po polsku. Obok nas stały dwie dziewczyny. Jedna miała na podkoszulce napis „Bruno Schulz", a druga – „Franz Kafka".

Włosy obu były farbowane na czarno, tyle że jedna nosiła je krótkie, a druga – długie, po łopatki. Obie trzymały w dłoniach po czarnej świeczce.

Były z polonistyki. Z Warszawy. Ta z krótkimi włosami miała na imię Marzena. Ta z długimi – Bożena. Przyjechały, jak twierdziły, „oddać hołd wielkiemu polsko-żydowskiemu pisarzowi, mistrzowi mowy polskiej". Tak to ujmowały. Oddać hołd i koniecznie znaleźć ulicę Krokodyli.

Zapaliły swoje czarne świece (kupione zapewne w jakimś dizajnerskim sklepie jeszcze w Warszawie), postawiły pod schodami i usiadły koło nas. Puściliśmy Wigor w ruch.

– Mój Boże, jaki to biedny, a zarazem fascynujący kraj, tak? – mówiła Bożena, a głos miała irytujący. Skrzeczała, co tu dużo mówić, i drażniąco dzieliła wypowiedzi na sylaby. – Z chęcią bym tu pomieszkała chwilę. Ja tu się czuję trochę jak w bajce. Kojąco mi jest, tak? Koi mię to. To zniszczenie, którę tu zaobserwowywujemy, ma w sobie coś schulzowskiego w gruncie rzeczy, tak? – Bożena machała nieco rękami, gdy mówiła. Na przegubie miała wytatuowane jin i jang. Oznaczało to, że po studiach raczej nie odnajdzie się prędko na rynku pracy. I raczej nic więcej. – Mię to naprawdę zauracza. W tę kraju. Wszystko tu jest – yyy – rozjębane, jak u Schulza. Wszystko jest niedorobione. Takie – manekinowate, tak? Utraciło formę. Mię to się bardzo podoba.

– „Mię"? – Hawran też był już nieźle zrobiony. – Czemu mówisz „mię"?

– O, to stara, piękna forma – w imieniu koleżanki wytłumaczyła równie naspidowana Wigorem Marzena – używał ję Bolesław Leśmian i Brunon Schulz, bo to się odmienia Brunona, a nie Bruna, nie wię, czy wiecie, no i w ogóle tak się kiedyś w ogóle mówiło. Gdy wszystko było lepsze i mądrzejsze, a w gazetach pisano językiem szykownym, a nie, że Doda i cyce, a w kawiarniach rozmawiało się o rzeczach mądrych i niebanalnych. Bo w kawiarniach siedział Witkacy.

– A dlaczego na końcu każdego zdania dodajesz „tak"? – spytałem Bożeny.

Bożena popatrzyła na mnie złym wzrokiem.

– Nie każdego przecież końcu zdania, tak? – spytała. – W sumie nie wię. A co, przeszkadza ci to?

Generalnie powinniśmy byli je tam zostawić na tych schodach, ale hormony wzięły górę: Marzena była naprawdę kręcąca. Bożena już mniej, ale Marzena, no, no... Miała coś filuternego w wargach, w sposobie, w jaki układała usta, ptasio trochę, i wyglądało na to, że Hawran też ma na nią ochotę. No to sobie powspółzawodniczymy, pomyślałem. Sport to zdrowie. Dokupiliśmy więc tylko kwasu chlebowego, zmieszaliśmy go z Wigorem i poszliśmy z nimi szukać tej ulicy Krokodyli.

Snuliśmy się po ulicach Drohobycza i odkrywałem, że Bożena może i mówi „mię" i „tak", ale ma sporo racji. Forma tutaj naprawdę istniała wyłącznie jako zabytek. Cała ta cywilizacyjna narzuta, którą przyniosło Drohobyczowi ostatnie kilkadziesiąt lat, to była taniość. Prowizorka. Postnomadyzm jakiś. Tak samo jak w Polsce, tylko bardziej. „Pseudoamerykanizm" – czytała skrzeczącym głosem Bożena, bo – jakżeby inaczej – miała ze sobą *Sklepy cynamonowe* – „zaszczepiony na starył, zmurszałył gruncie miasta, wystrzelił tu bujną, lecz pustą i bezbarwną wegetacją tandetnej, lichej pretensjonalności".

Ale tak naprawdę było o wiele gorzej, niż wyprorokował to Schulz.

„Widziało się tam tanie, marnie budowane kamienice o karykaturalnych fasadach, oblepione monstrualnymi sztukateriami z popękanego gipsu. Stare, krzywe domki podmiejskie otrzymały szybko sklecone portale, które dopiero bliższe przyjrzenie demaskowało jako nędzne imitacje wielkomiejskich urządzeń".

Rzecz była w tym, że nie trzeba było przyglądać się z bliska. Wszystko to, cały ten szwindel i tandetę, dostrzegało się już na pierwszy rzut oka. To nie było nawet udawane piękno, to było piękno czysto umowne. Sygnalizowane. Polegało na tym, że jeśli – na przykład – jakiś kupiec dzierżawiący sklepik w rynku postawił sobie przed tym sklepikiem starą doniczkę i w tę doniczkę naładował ziemi, i do tej ziemi powsadzał z dupy podobierane kwiatki, to nie było to oczywiście żadne, kurwa, piękno. Ale był to sygnał, że sklepikarz bardzo chciał, żebyśmy zrozumieli, że w tym miejscu chciał umieścić coś pięknego i że robił, co mógł.

„Tak ciągnęły się, jeden za drugim, magazyny krawców, konfekcje, składy porcelany, drogerie, zakłady fryzjerskie" – czytała na głos Bożena, a dykcję miała koszmarną. – „Szare ich, wielkie szyby wystawowe nosiły ukośnie lub w półkolu biegnące napisy ze złoconych plastycznych liter: KĄFISEHI, MANIKIH, KĄG OF ĄGLĄD".

Mój Boże, myślałem, zataczając się już z lekka. Nasz upadek, myślałem, jest absolutny. Przecież to, czym on gardził, my teraz uważamy za szczyty sznytu i fasonu. Schulz nie przeżyłby w dzisiejszym Drohobyczu ani minuty. Nie czekałby na gestapowców, tylko sam by sobie strzelił te dwa razy w potylicę.

A tymczasem robiliśmy sobie klasyczny tour de Schulz. Najpierw znaleźliśmy miejsce po kamienicy, w której ojciec Schulza miał ten swój osławiony skład bławatny. Później podeszliśmy pod dom, w którym mieszkał. Bożena z Marzeną uparły się, żeby wejść do środka, ale obecna lokatorka domu – zażywna kobieta z lwią czupryną farbowanych na pomarańczowo włosów – kazała nam spierdalać na drzewo, bo poszczuje psem. Bożena i Marzena uznały to za element lokalnego kolorytu i bardzo się radowały. Miały notesiki, w których zapisywały takie rzeczy. Usiadły na bielonym, wysokim krawężniku i zaczęły notować.

Bożena była już pijana jak nieboskie stworzenie. Biegała po ulicach w jedną i drugą stronę i wrzeszczała, że kocha Ukrainę i że chce tu mieszkać na wieki wieków. Zapowiedziała, że zaskłotuje jeden z tych rozpierdolonych domów albo jakiś strych na przykład, będzie gapiła się z poddasza na miasto Drohobycz, będzie czytała książki i pisała piękne wiersze – i tak jej, mówiła, życie minie. Marzena była co prawda mniej pijana, ale podłapała klimat Bożeny. Siedziały obie na krawężniku, podawały sobie butelkę z balsamem i umawiały się, że gdy tylko skończą studia, to od razu – do Drohobycza. Wynajmą coś razem, wezmą dotację z Unii i otworzą jakiś drohobycki dom kultury, w którym będzie o Schulzu, a i z rozpędu o Nałkowskiej, co to go odkryła, i w ogóle o międzywojniu. O Witkacym przede wszystkim.

Wpadły w ogóle w jakąś totalną witkacofazę, przez cały czas mówiły, że Stasio to, Stasio tamto, a pod koniec zaczęły się zastanawiać, jakiego miał. Siedziałem obok nich, paliłem jednego za drugim i patrzyłem, jak piesek wielkości większego szczura obszczekuje ciężarówkę. Kierowca robił wszystko, żeby pieska rozjechać i w końcu mu się to udało. Piesek kwiknął przeraźliwie i wyrzygał pyskiem własne flaki.

Bożena i Marzena przerwały w pół słowa. Oczy miały jak kurze jaja. Po chwili też zaczęły rzygać.

I kto wie, jak to wszystko by się skończyło, gdyby nie trzeba było wracać do Lwowa. Ostatni pociąg odjeżdżał za pół godziny. Wzięliśmy taksówkę na dworzec, pieczołowicie wybierając najbardziej rozpieprzoną.

Przydworcowa knajpa, w której jeszcze rano pan Bohdan snuł wizję szwedzkiego ZSRR, była czarna od spalenizny. Szyb w oknach nie było, drzwi też. Strażacy zwijali sprzęt. – Wybuch gazu – szepnęła babuszka, która handlowała jajkami pod dworcem i wszystko widziała. – Straszna tragedia.

Kasa była zamknięta. Wisiała na niej karteczka z napisem „przerwa techniczna". Żeby wsiąść do pociągu, musieliśmy więc dać kanarowi w łapę, co polonistki skrupulatnie odnotowały w swoich notesikach jako kolejny element kolorytu lokalnego. Wagony były szerokie, o wiele szersze niż u nas. To również zostało odnotowane.

– Ja pierdolę, co się tu wyrabia w tym kraju – przeżywała Marzena – odpał totalny.

– No – skrzeczała Bożena – przecież normalnie nikt mi nie uwierzy, jak wrócimy na wydział i opowiemy, tak?

– Trzeci świat, no trzeci świat – dodawała Marzena. – Kurwa, oni próbują naśladować Europę, ale z tego naśladowania to jakaś parodia Europy wychodzi. Jezu Chryste jednorodzony... ja wiem, że Polska jest, jaka jest, ale normalnie ucałuję ziemię jak jaki papież, jak tylko wrócę!

Wyciągnęły dżintoniki i próbowały otworzyć kapsle zębami. To otwieranie skończyło się wrzaskiem Marzeny – ułamała sobie siódemkę. Nie wiem, skąd od razu wiedziała, że to siódemka, ale pół sekundy po tym ułamaniu na cały wagon zaczęła wrzeszczeć „ułałałą szódemkę! Ułałałą szódemkę!". Hawran, skurwiel, zareagował szybciej ode mnie i natychmiast rzucił się ją pocieszać. Kilka sekund po tym zaczęli się całować. Co tam ułamana siódemka. Bożena patrzyła na mnie wyczekująco. Unikałem jej wzroku jak mogłem. Udawałem, że strasznie mnie zajmuje obserwowanie, jak tam za oknem przemyka zielona Galicja.

Moje siedzenie minęła krótkowłosa dziewczyna. Z długimi udami i pięknymi stopami w japonkach. Dwie czarne dziury w głowie. Dziewczyna fotografa. Ale była sama. Poszła w stronę przejścia między wagonami. Zamknęła drzwi i po chwili z korytarza dobiegł zapach papierosowego dymu.

Wyjąłem z kieszeni papierosy i – zerknąwszy przepraszająco na koleżankę polonistkę, potrafiącą jak nikt w świecie odmieniać Brunona przez przypadki – wstałem i poszedłem za czarnooką.

Stała w korytarzu i paliła, oparta o ścianę. Od razu, gdy tylko otworzyłem drzwi, wbiła we mnie te swoje dwie czarne dziury. Zbiło mnie to z pantałyku. Udałem więc, że ją ignoruję. Wytrząsnąłem papierosa i zapaliłem, znów z udawaną uwagą obserwując zielone pola Hałyczyny.

– Po co tu przyjeżdżacie? – spytała nagle dziurooka po polsku, z mocnym ukraińskim akcentem.

– Słucham? – zdziwiłem się.

– Po co tu przyjeżdżacie, wy, Polacy? – zapytała. – Przysłuchuję się wam, od kiedy wsiedliście do pociągu. Wygląda na to, że bardzo wam się tu nie podoba.

– A skąd tak dobrze znasz polski? – próbowałem zmienić temat, bo nie zamierzałem świecić oczami za Marzenę i Bożenę. To znaczy – wtedy mi się wydawało, że chodzi wyłącznie o Marzenę i Bożenę.

– To ja ci powiem, dlaczego tu przyjeżdżacie – zignorowała moje pytanie. – Przyjeżdżacie tutaj, bo w innych krajach się z was śmieją. I mają was za to, za co wy macie nas: za zacofane zadupie, z którego się można ponabijać. I wobec którego można poczuć wyższość.

– „Wobec", „zadupie", „ponabijać" – próbowałem grać cool. – Wiem, studiowałaś w Polsce. Pewnie w Krakowie.

– Bo wszyscy mają was za zabiedzoną, wschodnią hołotę – ciągnęła ona tymczasem, patrząc mi tymi czarnymi dziurami prosto w oczy – nie tylko Niemcy, ale i Czesi, nawet Słowacy i Węgrzy. To tylko wam się wydaje, że Węgrzy to są tacy wasi zajebiści kumple. Tak naprawdę nabijają się z was jak wszyscy inni. Nie wspominając o Serbach czy Chorwatach. Nawet, kolego, Litwini. Wszyscy uważają was za trochę inną wersję Rosji. Za trzeci świat. Tylko wobec nas możecie sobie pobyć protekcjonalni. Odbić sobie to, że wszędzie indziej podcierają sobie wami dupy.

Nie spuszczała wzroku z mojej twarzy. Próbowałem wytrzymać spojrzenie, ale w końcu się poddałem. Zielone pola Galicji jak mknęły, tak mknęły.

– A wy – powiedziałem wydmuchując dym – gdzie jeździcie poczuć się lepiej? Nie wiem, do Uzbekistanu? Gdzieś pewnie jeździcie.

– A powiedz mi, dlaczego – spytała dziewczyna, brodą wskazując butelkę balsamu Wigor, którą trzymałem w dłoni – tak przy wszystkich, ostentacyjnie pijesz płyn na potencję?

Zbaraniały, podniosłem etykietkę do oczu, po czym uznałem, że ten gest jest zbyt upokarzający, więc ją odsunąłem, ale to odsunięcie było jeszcze bardziej upokarzające, bo miało w sobie coś z głupiego wyparcia, podniosłem ją więc jeszcze raz. I faktycznie: małymi literkami było tam coś o „erektylnoj dysfunkcji".

– O cholera – wyrwało mi się. Przypomniałem sobie, jak ostatnio chlaliśmy Wigor na lwowskim rynku, prosto z butelki, myśląc, że prezentujemy się tak zajebiście, że wszyscy nam foty komórkami robią. Teraz już wiedziałem, czemu robili. Dwóch rosłych Polaków publicznie trąbiących do hejnału płyn na erekcję – to musiał być fajny widok.

Dziurooka strzeliła papierosem w przeciwległą ścianę, jakieś pół metra od mojej głowy. Obsypał mnie snop iskier. Po czym oderwała się od ściany i minąwszy mnie, wróciła do wagonu.

Wróciłem na miejsce. Rozglądałem się za dziurooką, ale w wagonie jej nie było. Bożena na szczęście już spała. Albo udawała, że śpi. Hawran obmacywał Marzenę. Cały wagon udawał, że nie patrzy. W końcu wstali i poszli w stronę toalet.

Siedziałem na swoim miejscu, popijałem płyn na dysfunkcję erekcji i patrzyłem przez wybitą szybę w drzwiach wagonu, jak otwierają drzwi toalety i jak patrzą z niedowierzaniem na to, co jest za nimi, po czym je zamykają i z markotnymi minami wracają na miejsce.

– Co – spytałem – elementy kolorytu lokalnego?

Próbowali się uśmiechnąć, ale niespecjalnie im to wyszło.

– Macie – podałem im Wigor – łyknijcie sobie.

3. Beat

I jeździliśmy na ten wschód, jeździliśmy, jeździliśmy. Marszrutkami, pociągami, zdezelowanymi ładami. Czym się dało.

Zamiast benzedryny mieliśmy balsam Wigor. Zamiast wiejskiej Ameryki i Meksyku lat 50. – mieliśmy Ukrainę. Ale chodziło o to samo. Braliśmy plecaki i jechaliśmy w drogę. Nie czytaliśmy Kerouaca, bo nie dało się tego czytać. Tyle tam było pulsujących w każdą stronę, skłębionych bebechów. No i też dlatego, że było nam trochę głupio, bo nam, w przeciwieństwie do Kerouaca, o nic nie chodziło. Kerouac i reszta dokonywali jednak jakiejś rewolucji, a my po prostu przebiegaliśmy na pełnej kurwie przez, na oścież już otwarte, drzwi. Jeśli chlaliśmy, przepierdalaliśmy czas, braliśmy narkotyki, szukaliśmy tanich wstrząsów i tandetnych emocji, to nie po to, by przeciwko czemukolwiek się zbuntować, nawet nie po to, by przeżyć coś nowego, bo to wszystko już było, było, było – tylko po to, by robić cokolwiek. By nadać swojemu życiu cel choć na chwilę. A raczej erzac celu, z czego zdawaliśmy sobie sprawę, ale uważaliśmy, że wszystko inne w gruncie rzeczy też było erzacem celu.

I zawsze było to samo. Obce miasto, ciemny dworzec, po którym snuły się męty, prostytutki i gliny wyzywająco gapiące się w oczy. I ochroniarze wszelkiej maści, zawsze w mundurach i pod bronią, bo na Ukrainie wszystko było ochraniane, strzeżone, pilnowane. Nie można było zrobić kroku, by nie natknąć się na ochroniarza, zawsze zawodowo ponurego i próbującego robić wrażenie, jakby cały kraj wspierał się na jego barkach – a jednocześnie jakiegoś zagubionego, przykurzonego, który wyglądał, jakby chciał scedować na kogoś to całe ochranianie, pozbyć się go i schować w jakiejś dziurze.

Później niegościnne flaki ulic miasta, rozdrażnieni taryfiarze, zapach wnętrz ich ład i wołg, bo wsiadaliśmy tylko do ład i wołg, bo zawsze nam się wydawało, że łady i wołgi są tańsze jako taksówki, a ich kierowcy – mniej cwaniaccy i bardziej poczciwi.

Tak więc ten zapach towotu i benzyny, zapach ciał kierowców, zapach poprzednich pasażerów, zapach zwietrzałego papierosowego dymu, zapach zapachowych drzewek zwisających z zaśniedziałych lusterek. Przy ładowaniu plecaków do bagażnika trzeba było uważać, bo oni wszyscy mieli auta na gaz. I zawsze atmosfera była jakaś ciężko-gęsta, bo taksówkarz trochę milczał, trochę burczał, i wiózł nas ulicami tych ukraińskich miast, które wyglądały, jakby wiodły do jakichś zupełnie bezsensownych lokacji, takich, do których w zasadzie nie ma sensu wieźć, więc wiodły nas na odjeb się, byle odbębnić. Przez jakieś zrujnowane fabryczne bebechy, które ktoś kiedyś z konieczności zasiedlił.

I te kwatery na wynajem, w których nocowaliśmy. Zawsze leżały przy ulicach, które nie przypominały ulic, tylko jakieś zaplecza, jakieś przepusty między trzepakiem a śmietnikiem, jakieś wąskie przejścia między dwiema ślepymi ścianami, bo w poradzieckiej przestrzeni klasyczny miejski układ plac–ulica był mocno zaburzony. W gruncie rzeczy były to slumsy, ale nie nazywaliśmy ich tak, bo nikt ich tak nie nazywał, być może dlatego, że nikt się tu slumsów nie spodziewał, bo slumsy są w Indiach i w Ameryce Łacińskiej, a nie w byłym Związku Radzieckim. No ale to były slumsy. Skonstruowane z czego się dało, raz widziałem ukradziony billboard zamiast ściany, a kiedy indziej – drzwi od kamaza zamiast furtki.

W środku zawsze było pełno pamiątek rodzinnych i bibelocików, jakiejś porcelanowej, kolorowej drobnicy, która miała oswajać te z dech zbite przestrzenie, te prysznice będące rurami sterczącymi z sufitu, z których woda ciekła nie do żadnego brodzika, tylko po prostu na podłogę, te drzwi o wysokości i szerokości człowieka, te stoły, za którymi ledwie się mieściliśmy.

Czasem docierało do mnie, że jeździliśmy tam oglądać po prostu nędzę i że to nie było fair, bo w ten sposób chcieliśmy sami poczuć się mniej nędzni, i wtedy przekonywałem sam siebie, że ta nędza nie zniknęłaby, gdybyśmy tam nie pojechali, że poza tą nędzą jest tu cały kontekst kulturowy, socjologiczny, historyczny, politologiczny i każdy inny, i na jakiś czas mi przechodziło. I znów można było kupować wódkę, kupować piwo, kupować suszone anchoisy i kalmary, kupować chipsy o smaku kraba, biełomory, które nadawały się wyłącznie do kręcenia dżointów i opowiadać sobie wszystkie te ruskie hardkorowe historie, jak to kiedyś taką taryfą jechaliśmy, że musieliśmy ją pchać, i to w deszczu, jak to podczas jazdy marszrutką ludzie musieli wystawać przez szyberdach, bo tylu było ludzi, jak to gliniarze nas zaaresztowali z jakiegoś z dupy wziętego powodu i chcieli sztraf, a potem przyszedł gruby, najebany w trzy dupy sierżant, rozczulony w tym najebaniu i pozytywnie nastawiony do świata, tak bardzo pozytywnie, że wyściskał nas jako słowiańskich braci i puścił wolno, a smutni milicjanci stali pod ścianą i cichymi głosami mówili: „a sztraf?".

Naprawdę kochałem ten kraj.

Czasem po prostu brałem plecak i jechałem. Nie dzwoniłem po nikogo, tylko wsiadałem w pociąg do Przemyśla, potem w busa do Medyki, omijałem jakoś kolejkę mrówek na przejściu i wychodziłem w Ukrainę. Przez chwilę rozglądałem się i kontemplowałem rzeczywistość, która jeszcze niedawno była zwyczajną, najnormalniejszą kontynuacją mojej własnej rzeczywistości, a później ta rzeczywistość za Medyką rozjeżdżała się z moją rzeczywistością i szła własną drogą.

Smakowałem te różnice, smakowałem ten wschodni osad, który nalazł na starą, dobrą Galicję, kontemplowałem te twarze, które – gdyby Stalinowi pióro drgnęło o milimetry – stałyby teraz w kolejkach do polskich spożywczaków, do polskich urzędów, jeździłyby samochodami na polskich blachach, byłyby swojskie, po milionkroć swojskie i – jako takie – niegodne niczyjej uwagi, poza dziennikarzami programów interwencyjnych zajmujących się problemami społecznymi na polskiej prowincji.

Potem łapałem stopa albo wsiadałem w pierwszą lepszą marszrutkę stojącą przy przejściu i jechałem. Wszystko jedno gdzie. Gdziekolwiek. Czasem nawet nie patrzyłem na tabliczkę, którą marszrutka miała wystawioną na deskę rozdzielczą, po prostu rzucałem nie za ciężki plecak do paki, na bagaże w niebiesko-białą kratę i jechaliśmy. Czasem do końca trasy, czasem nie. Patrzyłem, jak za oknami przesuwa się zielona aż do boleści Ukraina, która – im dalej na wschód i południe – staje się żółtawobrązowa. Jak przesuwają mi się za oknem bielone krawężniki. Bielone albo malowane na przemian: jeden na czarno, a drugi na biało. Ale zawsze połupane. To zniszczenie było konserwowane w tej bieli i czerni. Ta farba sygnalizowała, że tak już zostanie, że tak już ma być. Że to się nie zmieni. Uspokajało mnie to w jakiś sposób. Wszystko zresztą tak się konserwowało. Pordzewiałe bramy, powyginane barierki, pogięte blaszane ogrodzenia. Wszystko było malowane grubą warstwą farby, najczęściej żółtej i niebieskiej. W ten sposób Ukraina zawłaszczała swoją własną przestrzeń. Należało się jej po tylu latach. A potem zasypiałem, a słońce lizało mi twarz przez szybę jak pies.

Wysiadłem kiedyś na dworcu marszrutek w Munkaczewie, do którego dotarłem – o ile pamiętam – przez Stryj i chyba jakoś zupełnie okrężną drogą przez Iwano-Frankiwsk, akurat skończył padać deszcz, płyta dworca, o ile to rozjeżdżone klepicho można było nazwać płytą, była pełna dziur ze stojącą w nich wodą. Wysiadłem z autobusu i przez chwilę patrzyłem, jak niebo przeciera się nad Munkaczewem, nad całą karpacką Rusią i staje się ukraińskie, żółto-niebieskie: tylko słońce i błękit. Nie wszystkim się ten błękit i żółć na Rusi podobały, wiedziałem to i nawet ich, Rusinów, rozumiałem – ich ojczyzna to była najprawdziwsza Europa Środkowa, zielone wzgórza, winnice, ruiny zamków, spokojna wielojęzyczność. Ale w tamtej chwili mnie to nie interesowało. Chciałem jechać dalej, nie miałem pojęcia gdzie. Na pewno nie na Słowację ani na Węgry. Te kraje były ciepłe i wygodne, ale mnie wtedy bardziej pociągała ukraińska wszechpotencjalność niż ciepłe kluchy Europy Środkowej.

Nie wiedziałem właściwie, po co przyjechałem właśnie do Munkaczewa, do tego ukraińskiego zakątka wbijającego się w Europę. Samo miasto mnie w zasadzie nudziło. Jedyne, co w nim było ciekawe, to sposób, w jaki Wschód próbuje naśladować Europę Środkową. Przypominało mi to nieco Polskę, choć wmawiałem sobie, że nie do końca. Piłem kawę ze śmietanką w jakiejś kawiarni wystylizowanej na nieudolną wiedeńskość i patrzyłem na ludzi próbujących żyć życiem Europejczyków.

Rozmawiałem z kelnerem, który chciał stąd wyjechać. Był Węgrem, więc chciał na Węgry. Pokazywał mi Kartę Węgra. Mówił, że już niedługo dostanie węgierski paszport i hejże, jo napot kivanok, Magyarorszag. Planował zajmować się tam remontami dachów. Miał, mówił, rodzinę w Tokaju. Był tam jako dziecko i nazywał tę ulicówkę najpiękniejszym miastem na świecie. Poza Tokajem był tylko we Lwowie i w Odessie na wakacjach. I na Krymie.

W pięć minut załatwił mi gandzię od Cyganów, których znał. Cyganie podjechali na górskich rowerach. Byli ubrani jak latynoscy alfonsi. Wykorzystywali naturalne predyspozycje. Jeden miał nawet zbereźny, cienki wąsik nad górną wargą. Idiotycznie to wyglądało: białe mokasyny, porozpinane koszule ze sztywnym kołnierzem, złote łańcuszki, fryzury jak z filmów Scorsese i górskie rowery. Ale gandzię mieli dobrą. Poszedłem na dworzec, paląc ją ubitą w papierosie, żeby nikt się nie pokapował.

Ale jeden się pokapował. Też miał plecak i też był z Polski. Też jeździł sam. Miał na imię Michał, kręcone włosy, był z Gdańska i kochał Ukrainę. Tak mówił. Dobrze się tu czuję, mówił, gdy siedzieliśmy na krawężniku pod dworcową budą z paskudnymi hamburgerami, kiedyś będę chciał tu zamieszkać.

Chciał zamieszkać koniecznie na wsi. Na ukraińskiej wsi. Tylko na wsi, mówił. Tutejsze miasta są do dupy. Miasta, mówił, w ogóle są do dupy. Chodź, mówił, pojeździmy po ukraińskiej wsi. Dobra, powiedziałem, spalony już na popiół, pojeździjmy po ukraińskiej wsi. Co tam. Wsjo rawno. Wstaliśmy więc i poszliśmy na postój taksówek. Poprosiliśmy chłopa, żeby zawiózł nas na wieś. Chłop się nieco zdziwił i spytał, na którą konkretnie. Nie mieliśmy mapy, więc powiedzieliśmy, że gdzieś na – powiedzmy – rumuńską granicę. Taksiarz wzruszył ramionami i wymienił sumę. Potargowaliśmy się chwilę i pojechaliśmy. Były czasy, kiedy taksówki na Ukrainie były naprawdę tanie. Stare, złe czasy.

Jechaliśmy dość długo, a znaki z nazwami miejscowości migotały różnymi językami: po słowacku, po rusińsku, po węgiersku i po rumuńsku. Facet, jak wszyscy, opowiadał, że za Sojuza było lepiej. Paliliśmy na tylnym siedzeniu, bo mu to nie przeszkadzało. Michał zamierzał zostać gdańskim notariuszem, jak jego ojciec. Nie pytałem, jak to się ma do jego planów osiedlenia się na ukraińskiej wsi. Ja też kończyłem wtedy prawo, ale nie chciałem być notariuszem. I tak bym nie był, bo notariusz to zawód dziedziczny. Nie wiedziałem, kim chcę być i w tamtym momencie zresztą w ogóle mnie to nie interesowało. Interesowało mnie, że parę kilometrów dalej jest rumuński Maramuresz i Cimeturul Vesel w Sapancie, ale oddziela nas od tych wszystkich cudów granica międzypaństwowa. Strzeżona całkiem serio przez kolesiów z karabinami i w jednolitych wdziankach. Wtedy wydawało mi się to zabawne i absurdalne.

Facet wysadził nas we wsi, której nazwę zapomniałem zaraz po tym, jak ją przeczytałem na znaku drogowym, i poszliśmy szukać noclegu, bo zbliżał się wieczór. Michał twierdził, że wieśniacy na wschodzie sami zapraszają do domów podróżników z plecakami. Tak mu opowiadali koledzy w Gdańsku, którzy już na wschodzie byli. Że zapraszają i częstują samogonem, dają jeść. Że potem zwołują wszystkich szwagrów, wujków, że się złazi cała wieś i jest w pytę impreza. Z muzykantami i tak dalej. Z tańczącym niedźwiedziem – dodałem, ale mnie zignorował. Trzeba się tylko pokazać we wsi, powiedział, mrużąc oczy. Pozwolić się zobaczyć. Dać się zauważyć. W tym celu, wywodził, musimy przemaszerować środkiem wsi z plecakami. Co, kilka razy? – spytałem. Jeśli będzie trzeba, to kilka razy – odpowiedział z powagą Michał.

No więc łaziliśmy: od jednego końca wsi do drugiego, od końca do końca, jak jakaś plecakowiczowska warta honorowa. Oddająca hołd poległym polskim plecakowcom czy coś w tym guście. Nikt się nie zainteresował. Nikt nawet nie podszedł do płotu. Michał w końcu się zniechęcił. – Pierdolę to, powiedział rozczarowany, że mu koledzy naściemniali.

Zaczął chodzić od domu do domu i pytać. Ja powiedziałem z szerokim uśmiechem, że w dupie mam, pytać nie będę. Już wystarczająco idiotycznie się czułem, defilując jak kretyn po głównej ulicy w jedną i drugą stronę. Jeśli chodzi o mnie, powiedziałem, to możemy spać na ziemi. Miałem śpiwór i karimatę. Byłem samowystarczalny. Ale Michał się uparł, żeby się napić z lokalnymi chłopami.

Ach, ta obsesja chlania z lokalnymi. Tymczasem lokalni patrzyli na nas jak na leśne dziwa. Nie mogli pojąć, po jaką ciężką kurwę tu do nich przyjechaliśmy, w dodatku po nocy. Wszyscy kładli się już spać i nie chcieli z Michałem gadać. W końcu uznaliśmy, że trzeba jechać dalej. Wypaliliśmy po dżoincie i przepiliśmy browarem, który udało nam się kupić w sklepie po godzinach, i to tylko dlatego, że sprzedawczyni robiła remanent. Pieszczotliwie przerzucała kostki kasowego liczydła, jak gdyby to były paciorki różańca.

Było już bardzo ciemno. Gwiazdy nie świeciły. Księżyc był pomarańczowy. Nikt nie chciał nas wziąć na stopa. Bukowe lasy pachniały wolnością i wilgocią. Zatrzymali się dopiero milicjanci. Struchleliśmy. Mieliśmy przy sobie z pięć gramów marihuany i byliśmy upaleni jak bąki. No i w ogóle. Ale oni byli spoko. Kazali nam wskakiwać i powiedzieli, że podrzucą nas na posterunek milicji do Rachowa, bo tam jechali. A dalej, mówili, jak nam Bóg da. Byli mniej więcej w naszym wieku i też marzyli o przygodach. Pytali nas, jak by ich potraktowała polska policja, gdyby łazili z plecakami po strefie przygranicznej w Bieszczadach. Nie ukrywaliśmy, że pewnie by ich spisali i zawieźli na dołek. Śmiali się. Byli bardzo dumni, że są lepsi od polskiej policji.

I wtedy ten kretyn Michał zaproponował im dżointa. Zapadło milczenie, chłopaki-milicjanci patrzyli jeden na drugiego. Chyba nie byli siebie wzajemnie pewni. Miałem wrażenie, że chętnie by w sumie zapalili, ale nie wiedzieli, czy ten drugi nie doniesie.

– Co mówiłeś, Misza? – udał, że nie dosłyszał jeden z nich, przypominający nieco puchacza z bajek dla dzieci. Widziałem, że bardzo nie chcieli nas zamykać.

– Papierosa – powiedziałem szybko, rzucając Michałowi wściekłe spojrzenie. – Czy można u was w samochodzie zapalić.

– Nie można – powiedział puchacz i to był koniec rozmowy.

Gdy tylko wysadzili nas w Rachowie i odjechali, dałem Michałowi po ryju. Nie spodziewał się. Był środek nocy, a on leżał na swoim plecaku i przebierał nogami jak żuk, który nie może wstać z pleców. Krew leciała mu z nosa. Rzucał się i zapowiadał, że jak wstanie, to mi wpierdoli, ale tak się składało, że wstać nie mógł. Kręcił się wokół własnej osi. Zostawiłem go tak i poszedłem w ciemność. Ciemność w Rachowie – to jest dopiero ciemność. Nic nie było widać. Nie było ani jednego miejsca, w którym można by rozłożyć karimatę i śpiwór.

Całą noc kręciłem się po miasteczku, unikając Michała, który też się kręcił, bo nic innego nie dało się tu robić. Zresztą on też mnie unikał. Widziałem go czasem na wylocie ulicy. On też mnie widział i skręcał w inną stronę. W końcu, nad ranem, podszedł jednak do mnie. Powiedział, że miałem rację. Że okej i spoko, że wiadomo. Że był ujarany i nie wiedział, co mówi. Rano jechała marszrutka do Iwano-Frankiwska. Wsiedliśmy. Od razu zasnęliśmy. Całe Karpaty przekimaliśmy i żadnych widoków nie widzieliśmy. Kierowca nie mógł nas dobudzić.

We Frankiwsku spotkaliśmy wycieczkę Polaków, którzy wracali z łażenia po górach. Mieli treki i grube skarpety. I wielkie aparaty. I kupę zdjęć na kartach pamięci, które koniecznie chcieli nam pokazać. Byli zbici w jednolitą kupę i splątani tymi swoimi karpackimi historiami. Przez cały czas przypominali sobie którąś z nich i głośno ją przeżywali. Porozumiewali się w zasadzie własnym językiem, wewnętrznym kodem. Za cholerę nie miałem pojęcia, po co my im jesteśmy w ogóle z Michałem potrzebni, ale nie chcieli nas wypuścić. Miałem wrażenie, że odgrywają przed nami jakieś przedstawienie, że oni są aktorami, a my widzami, i że mamy ich oglądać i podziwiać. Zabrali nas do jakiejś knajpy w odnowionym (pomalowanym grubą warstwą farby) centrum, gdzie wszyscy jedliśmy solankę i warenyki. Nie spałem w łóżku od dwóch dni i padałem z nóg. W końcu, w samym środku pokazu zdjęć na macu, którego jeden z nich z jakiegoś powodu zataskał, kurwa, w te góry, wstałem, pożegnałem się, zabrałem Michała i poszliśmy do hotelu.

Musieliśmy wyglądać jak siedem nieszczęść, bo recepcjonistka była dla nas jak matka. Dała nam dwójkę z widokiem na miasto. Od razu zasnęliśmy. Obudził mnie ból i dziwne rozbłyski w głowie. Michał stał nade mną i prał mnie po całym ciele. Po twarzy, po ramionach. Skuliłem się w łóżku, a on, już ubrany, w pełnej gotowości, z plecakiem na ramionach, rzucił pod moim adresem parę bluzgów i wybiegł z pokoju. Zacząłem się śmiać. Słyszałem jeszcze, jak na korytarzu krzyczy „kurwa mać!" i spada ze schodów. Nie wyrobił. Otarłem krew z wargi i spróbowałem jeszcze zasnąć. Nie mogłem. Ubrałem się, założyłem plecak i zszedłem na dół. Było około szóstej wieczorem. Okazało się, że Michał zapłacił w recepcji, grzecznie, swoją część rachunku. Porządny chłopak. Na dworcu znów go zobaczyłem. Wsiadał do tej samej elektriczki co ja. Do Lwowa. Udawał, że mnie nie widzi. Jechał w innym wagonie i czytał książkę Hugo-Badera.

4. Orlęta

Pod cmentarzem na Łyczakowie stały białe autokary z polskimi rejestracjami.

Rejestracje krakowskie, wrocławskie, katowickie, lubelskie, warszawskie. Kojarzyły mi się z wielkimi, białymi larwami, które oblazły tę rozpadającą się ulicę. Wyglądały, jakby wycisnęły się ze szczelin, z pęknięć w asfalcie i zalegały teraz, tłuste larwy, ciężko i tępo.

Wyłazil z larw kolorowy tłum. W sandałach, w krótkich spodniach z kieszeniami z boku, z aparatami. Od razu podchodziły ukraińskie dzieci. „Dyj pan, dyj pan, złoty, złoty, polski złoty". A ci z autokarów się paśli tym „dyj pan". Czuli się jak paniska. Większość pewnie po raz pierwszy w życiu. Raz dawali, raz nie – kaprys pański pokazywali. Puchli tym pańskim kaprysem, jeden mówił: dam, niech se bidaki zjedzą loda, pewnie nie wiedzą, co to loda, a drugi mówił: nie dam, jeszcze mi podziękują, żem nie dał i nie przyuczał do żebractwa. Bo żebraniem do niczego nie dojdziesz, bo wędka, nie ryba, wędka, nie ryba.

Ale szybko któryś z chłopaczków wystrzelił ze starym numerem: „dyj pan, dyj pani, ja Polak, Polak, tata, mama Polaki, Ukraińcy łochy" – a polskie wycieczki jakby półpasiec ściął.

– To polskie dziecko, to polskie dziecko! – powiedziała huczącym, ale stłumionym ze wzruszenia głosem jakaś kobieta o piersi do przodu, o cycu i nosie wielkim i o ewidentnej tendencji do dominacji. Mówiła to w ten sposób, w jaki na hollywoodzkich filmach bohaterowie w opałach ogłaszają: „I'm an American citizen!".

– To polskie dziecko! Powiedz, dziecko, gdzie twoja mama? – już wyjmowała z torby portmonetkę.

– Nie żyje, pobili, Ukraińcy, zabili – wyło „polskie dziecko", orlę lwowskie, i już po chwili wszyscy młodzi żebracy zawodzili: „my Polaaaaci, my Polaaaci, Ukrajina nedobre, Polska dobre, Matka Boska, Matka Boska", a cała wycieczka hojnie, łykając łzy wzruszenia i szlochając „to polskie dzieci, polskie dzieci", okupowała to wzruszenie banknotami – a to dziesięcio-, a to czasem nawet dwudziestozłotowymi, bo pięćdziesiątkami to już nie.

– Spierdalaj – powiedział Hawran do dziecka, które wycierając brudny nos, podeszło do niego ze swoim „dyj pan, ja Polak".

– Ty sam sperdalaj, pszek w rot trachanyj – powiedziało dziecko i przezornie umknęło, zerkając tylko, czy Hawranowi nie przychodzi do głowy kopnąć je w dupę.

A Cmentarz Łyczakowski był piękny. Popijałem środek na potencję z kwasem chlebowym i myślałem, że czegoś tak pięknego nie widziałem nigdzie na ziemi.

Każdy grobowiec był jak z gotyckiego horroru, i to wszystko – zanurzone w tej soczystej zieleni, w tej żółci upału, porozcinane pnącymi się do góry dróżkami – było ogrodem rozpiętym pomiędzy ziemią, snem a zaświatami.

Ryta polszczyzna, cała w zawijasach, w majuskule i minuskule posarmackiej, rozpieprzone grobowce, w których – jeśli zajrzeć – widać czaszki i piszczele, nagrobne pomniki biskupów w bogato zdobionych szatach, którym ktoś poutrącał głowy i dłonie. Jednemu z nich przycementowano do zdekapitowanego korpusu głowę lalki. Zwykłej lalki z otwieranymi oczami i z wszczepionymi w gumę głowy blond loczkami. Wyglądało to tak, że aż musiałem usiąść.

A potem były Orlęta. Polskie wycieczki szukały grobów najmłodszych chłopaczków: dwunastolatków, trzynastolatków, którzy zginęli wtedy, w dwudziestym, i robiły im zdjęcia komórkami. A ja patrzyłem na Archanioła Michała z konkurencyjnego, ukraińskiego cmentarza wojennego. Zbudowanego po to, by równoważył wymowę Orląt. Archanioł stał na wysokim cokole, dupą do Polaków, twarzą i piersią do miasta. Musiałem przyznać, że zgrabnie to załatwili.

– Poszedłbyś walczyć? – spytał nagle Hawran. – Wtedy?

Zerknąłem na niego, zdziwiony. Nie wiedziałem, czy pyta serio, czy nie, ale wolałem nie ryzykować.

– Pewnie tak – odpowiedziałem. – Dla towarzystwa. Jak ten Cygan, co to się dla towarzystwa dał powiesić.

Uśmiechnął się.

– A ty? – zapytałem.

– Ja też dla towarzystwa – powiedział. – Poza tym za stary jestem na orlę.

– A na orła brak ci charakteru.

– Ci też.

Gapiliśmy się przez chwilę na Polaków spacerujących pomiędzy białymi rzędami krzyży. Hawran roześmiał się nieszczerze i zrobił komórką zdjęcie facetowi, który robił komórką zdjęcie swojej żonie, która robiła komórką zdjęcie białemu krzyżowi, pod którym leżało najmłodsze z Orląt: Jaś, który miał dziesięć lat.

5. Biznes

Spotkałem tego kolesia jakoś zupełnie przypadkiem, gdzieś na obrzeżach Lwowa. W okolicach tego osiedla, na które wjeżdża się od polskiej strony. Bloczydła, chaszcze, rozwłóczone chodniki. Facet szedł cały na galowo – w garniturze, białej koszuli, pod krawatem. Wąsy, lat około czterdziestu. W eleganckich mokasynach przeskakiwał nad kałużami. W dłoni trzymał czerwono-białą reklamówkę z napisem „Marlboro". Ta reklamówka, nie mogłem pozbyć się takiego wrażenia, była wyprasowana.

– Przepraszam – zwrócił się do mnie po rosyjsku. – Jestem tu nowy, dopiero co przyjechałem.

– Ja właściwie też – odpowiedziałem, bo dopiero co wysiadłem z marszrutki. – W czym mogę pomóc?

– Szukam kontrahentów biznesowych – odparł na to on.

– Mogę jedynie życzyć powodzenia – powiedziałem.

– A wy – facet poklepał mnie po plecach – byście nie optowali?

– Ja? – zdziwiłem się. – Bez przesady. Ja się nie znam, w ogóle nie wiem o co…

– W tej torbie – powiedział facet, podnosząc torbę z napisem „Marlboro" – mam plan. Biznesplan. Nic, tylko realizować. Przedsięwzięcie – salon gier. Wyobrażacie sobie? W dobie komputerów osobistych wszystkie te maszyny, flippery, no wszystko – poszło na przemiał. Można bardzo tanio kupić. I, wyobraźcie sobie, jakby tak pójść w takie retro. Wynająć halę, ustawić maszyny. Przecież tu nie tylko chodzi o to, żeby zagrać, ale też o to, żeby pójść do ludzi, piwa popić. A my byśmy piwo sprzedawali, i w ogóle. Wszystko by było.

– Panie – wykrztusiłem – przecież ja pana nie znam. Dopiero co mnie pan na ulicy spotkał…

– A – zniecierpliwiony facet machnął ręką – idź pan na chuj. I rób tu, człowieku, kapitalizm. „Weź życie w swoje ręce", mówili, chuj im na twarze.

I poszedł dalej. Kilkaset metrów dalej, widziałem, zaczepił kolejnego przechodnia. Opowiadał coś i dumnie prezentował siatkę z Marlboro.

6. Kwas

Udaj i Kusaj mieli swoje dojścia we Lwowie. Wiedzieli, gdzie kupić gandzię. Plan był taki: przyjeżdżamy na Ukrainę, zaopatrujemy się w staf, jaramy i kręcimy się bez specjalnego celu po kraju. W tamtym czasie więcej niespecjalnie było nam potrzeba. Dojedziemy na Krym – fajnie. Pojedziemy do Donbasu – też fajnie. Do Hulajpola – jeszcze fajniej. Wsjo rawno i powiewa.

Udaj i Kusaj sami byli osobnikami nieźle pojechanymi. Sam się dziwiłem, że z nimi pojechałem. Kolesie wciągali, co tylko miało kopa i żarli kwasy jak chipsy. Byli nierozłączni. Nie byli gejami, ale byli nierozłączni. Czasem tak jest. Wynajmowali razem mieszkanie i razem kwasili, jarali blanty kilogramami, a czasem, żeby postawić się do pionu, zdarzało się, że dociągali, co tam było białego.

Byli generalnie audiofilami. Studiowali inżynierię dźwięku czy coś takiego. W przyszłości chcieli otworzyć studio nagrań. Póki co dłubali coś tu i tam przy produkcji muzycznej. Z tego żyli, ale ich audiofilstwo polegało nie tylko na studiowaniu inżynierii i dłubaniu przy produkcji, ale też na przykład na tym, że wyciszali sobie całkowicie pokój, w którym stał sprzęt do grania, mierzyli w którym miejscu najlepiej słychać (za pomocą jakichś tajemniczych urządzeń), rysowali kredą iks na podłodze, a później siadali w tym iksie i słuchali, totalnie upaleni, jakiejś dziwnej muzyki. Ambientu, jungle, nie wiem, electro. Któregoś dnia przyszedłem do nich niezapowiedziany. Mieszkanie było otwarte, więc wszedłem. Wołałem, że „cześć", ale nikt nie odpowiadał. Było słychać przytłumioną muzykę. Poszedłem do głównego pokoju i pchnąłem drzwi: siedzieli nieruchomo, jeden obok drugiego, na wielkim iksie pośrodku podłogi. Muzyka, której słuchali, była taka, że miałem wrażenie, jakby pełzła po ścianach. Mieli czarne okulary na oczach i w ogóle się nie poruszali. Byli tak sztywni od kwasów i cholera wie czego, że nawet mnie nie zauważyli. Byłem dość przerażony. Wyszedłem, cicho zamykając drzwi i odetchnąłem dopiero na ulicy.

Później im się trochę znudziło audiofilstwo i zaczęli szukać nowych wrażeń. Przez jakiś czas interesowali się odjechanymi filmami, ale i tego szybko mieli dosyć. Ileż razy można obejrzeć dzieła zebrane Jodorowskiego i Pasoliniego. No i wtedy zaczęli jeździć na wschód. I tam doznali oświecenia.

– O jaa – opowiadał Udaj. – Stary, idziemy parkiem w Kijowie, idziemy, nie, idziemy przełajem, bo ścieżkę zgubiliśmy (tylko Udaj z Kusajem byli w stanie zgubić ścieżkę w parku), brniemy w krzorach wśród tych wszystkich gówien i srajtasiemek, brniemy, i nagle słyszymy, ty, *Poljuszka polje*. Znasz? No. Takie patataj, patataj, patataj, a potem, że „poooljuszka poolje, poljuszka szyrooooko pooolje", kumasz? Nie? No. No to słyszymy to poljuszka polje, pompatyczna ruska muza leci, a my gdzieś wśród gówien w krzakach, wśród puszek tuny w tomacie i flaszek, rozumiesz…

– No i co? – zniecierpliwiłem się.

– No i brniemy dalej przez te krzorska, brniemy, a to polujszka coraz głośniej, ty, i wychodzimy na taki wyjebiście duży plac w środku parku, a na tym placu, men, chór wojskowy w tych czapkach wielkich i śpiewają a'kurwa'cappella. Na full regulator.

– No co ty – powiedziałem – tak sobie stali w środku parku w pełnej gali i śpiewali *Poljuszka polje*?

– No stali – odparł Udaj. – Nawet specjalnie nie było słuchających. Raptem paru dziadków z orderami popijało wódkę z kubków. A oni ot tak, jak żebracy w parku, ustawieni w te swoje cztery rzędy, napierdalali poljuszkę.

– Może próbę mieli – powiedziałem.

– Chuj wie, co mieli. I stali pod Leninem. Jezusie Chrystusie, jakiego oni mają Lenina wielkiego w tym Kijowie! Ty, to sobie wyobraź, jaki w Moskwie musi być!

– Kurwa, men – dodawał Kusaj – wytłumacz mi, po co oni w ogóle podpisują tego Lenina na cokołach? Przecież to od razu widać, że Lenin, a tu jeszcze napisane „Lenin". I to cyrylicą, czyli nie że dla turystów, tylko że dla siebie. To tak, jakby na każdej owcy na przykład napisać „owca", żeby ktoś się nie pomylił i nie wziął jej za krowę. Ty, ma to sens czy nie, no powiedz.

Udaj i Kusaj uważali, że rzeczywistość ukraińska jest wybitnie kwasowa i tripowa. Byli oderwani od reala i w związku z tym lekko głupawi, nie na tyle jednak, by przewozić własny sprzęt przez granicę. Wiedzieli, czym to grozi i nie zamierzali spędzić paru lat w ukraińskim pierdlu. Byli na to, jak twierdzili, „zbyt wrażliwi".

Ich dilerskim kontaktem byli squattersi squatujący grobowce na Cmentarzu Łyczakowskim. Tak było. Latem okoliczne punki robiły sobie dacze z co bardziej zapuszczonych i co bardziej oddalonych grobowców. Trzeba tylko było wiedzieć, gdzie iść. Podobno hodowali i przyrządzali gandzię gdzieś na miejscu.

No i któregoś dnia – nie wiem, co mi odbiło – pojechałem z Udajem i Kusajem na Ukrainę. Autokarem. Jak tylko wjechaliśmy na granicę i pojawił się ukraiński mundurowy w tym czapsku jak rondo w mieście powiatowym, od razu zaczęli się cieszyć jak dzieci. Mało brakowało, a zaczęliby z nim piątki przybijać. Mundurowy patrzył na nich podejrzliwie, a oni się do niego uśmiechali najsłodziej, jak tylko umieli. – Po co na Ukrainę? – szczeknął, a oni mu powiedzieli, że chcieli zobaczyć wschodnioeuropejską przestrzeń w lipcowym słońcu. Bo akurat był lipiec, i to bardzo ładny. Celnik tylko łypnął, i od razu ich wziął na osobistą, i mnie przy okazji też. Obwąchał nas antynarkotykowy wilczur, a pogranicznicy z poważnymi minami przewracali każdy fatałaszek. Czasem uśmiechali się do nas krzywo i wspominali coś o gumowych rękawiczkach. Byłem wściekły, a Udaj i Kusaj cieszyli się jak dzieci i przez cały czas mówili „o ja".

Pogranicznicy zrozumieli w końcu, że mają do czynienia z ciężkimi kretynami i machnęli na nas ręką, zerknęli okiem na kwitki meldunkowe (Udaj i Kusaj mieli taką metodę, że wpisywali tam pierwsze lepsze ukraińskie miasto, które przyszło im do głowy, i jeśli to miasto leżało na zachodzie kraju, to dopisywali adres „Bandery 69", a jeśli na wschodzie – to „Lenina 69") i nas puścili.

We Lwowie od razu przyjęliśmy kurs na Łyczaków. Tramwajem podjechaliśmy prawie pod sam cmentarz, minęliśmy wzruszone polskie wycieczki, minęliśmy pana z popękanymi naczynkami na bulwiastym nosie, który recytował właśnie znany dwuwiersz o bombie wodorowej, minęliśmy znicze i wieńce przeplatane biało-czerwonymi wstążkami pod Konopnicką, minęliśmy ten mój ulubiony grobowiec, na którym Jezus wygląda, jakby pryskał gazem pieprzowym prosto w twarze dzieciom, którym – zgodnie z zaleceniem – pozwolono przychodzić do niego – i zapuściliśmy się głęboko w tylne alejki cmentarza.

Wspięliśmy się na cmentarne zbocze i weszliśmy na podcmentarz, na którym leżeli powstańcy styczniowi.

Podcmentarz był zarośnięty po pachy i z tej wybujałej zieleni sterczały identyczne, metalowe krzyże. Przedzieraliśmy się przez te krzaczyska jak Indiana Jones przez dżunglę. U końca cmentarza powstańców stało kilka wielkich, magnackich grobowców, zupełnie odciętych od świata, które pod względem gabarytów z powodzeniem mogłyby służyć za letnie domki.

I służyły. Na schodach, w lipcowym słoneczku, wygrzewało się kilku żul-punków. Mieli tu wszystko – stół, krzesła, kraty browaru. Powietrze było ciężkie od oleistego, słodkawego zapachu marihuany. Blanciory palili grube jak hawańskie cygara. Byli boso, bez koszulek, zarośnięci jak diabły, z włosami zlepionymi brudem w coś, co bardziej przypominało poleskie kołtuny niż porządne dredy. Udaj z Kusajem rzucili się na nich jak na braci. Poklepywaniu po plecach końca nie było. Przywieźli dla punków, jak się okazało, dary: słoiki majonezu kieleckiego, które wręczyli żul-punkom, jak się kiedyś perkal i paciorki wręczało. Żul-punki, jak powiedział mi Kusaj, przepadały za majonezem kieleckim, od kiedy poznali ten wyrób po tym, jak grali kiedyś jakiś koncert w Przemyślu. Bo oni kiedyś, gdy ich głowy jeszcze były w miarę w porządku, mieli swoją punkową kapelę. Jak przewieźliście, spytałem, ten majonez przez granicę? Przecież nas trzepali, a produktów spożywczych wwozić nie wolno. A, odpowiedział Kusaj, zapomniałem zabrać do odprawy reklamówki z tym majonezem na półce nad siedzeniem w autobusie i jakoś nie przyszło im do głowy sprawdzić.

Żul-punki jadły ten majonez jak serek homogenizowany – wytrzasnęły skądś łyżki i po prostu zaczęły wiosłować. Tutaj, widać było, gastrofaza nigdy nie mija. Rozpiliśmy szybko jakieś robione przez nich wino i sprawa zeszła na tematy istotne, czyli na nasze zaopatrzenie na drogę. Potrzebowaliśmy gandzi i kwasów. Z kwasami – powiedzieli żul-punki – może być mały problem, bo mają coś w rodzaju klęski urodzaju – są tylko podwójnie namaczane panoramiksy. Dlatego trzeba z nimi bardzo uważać, bo wchodzą mocno i ostro telepią. Jazda nie dla każdego. A co do gandzi – to najstarszy w żul-punkowym szczepie, niejaki Borys z jednym wielkim dredem na głowie i brodą ujętą w faraoński wałek – zatoczył ręką po grobach powstańców styczniowych. – O wot – powiedział. I faktycznie: kawałek dalej od krzaczorów, przez które się przedzieraliśmy, karnie rosły sobie krzaki marihuany. Z nich również wystawały powstańcze krzyże.

– Co – zdziwiłem się – tutaj? Na powstańcach?

– No tutaj – odpowiedział wielki wódz Borys. – To są jacyś wasi koledzy?

– Niby tak – odpowiedziałem. – Choć – dodałem – osobiście żadnego nie znałem.

– No, to miło im się tu leży – powiedział Borys i przeżegnał się z głębokim skłonem – pod krzaczkami. Soki w ziemię idą. Wesoło mają.

Żul-punki bardzo fachowo popakowały nam gandzię do paczek po zielonej herbacie i pobłogosławiły na dalszą drogę.

Gandzia była faktycznie mocna. Skurwysyny musieli w czymś ją marynować przed suszeniem. Wolałem nie wiedzieć, w czym. Paliliśmy ją w biełomorach. To te papierosy, które palił Wilk w *Wilku i zającu*. Wyglądały trochę jak szlugi z *Piątego elementu*, te z bardzo długim filtrem, tyle że zamiast filtra tu była długa i pusta tekturowa rurka. Wyginało się ją w „s" i tytoń nie leciał do ust. Śmierdział zresztą ten tytoń jak stare skarpety. Wystarczyło zmieszać go z gandzią, by zabijał jej zapach. W ten sposób można było palić dżointy na ulicy i się nie stresować, że władza wyniucha.

Teraz przyszła kolej na następny punkt programu. Punkt nazywał się Taras Kabat. Taras był starym kolegą Udaja. Poznali się w Przemyślu, gdzie Udaj się urodził, a Taras przez pewien czas wychowywał. A przede wszystkim – Taras miał samochód zarejestrowany na Ukrainie i ochotę na kwasowy trip po „swoim kraju".

„Swój kraj" ujęty został w cudzysłów celowo. Bo jeśli chodzi o pochodzenie Tarasa, to sprawa była dość skomplikowana.

– Mój ojciec był lwowskim Polakiem, matka – pół Polką, pół Ukrainką – mówił Taras, gdy już się spotkaliśmy w knajpie „Pod Zieloną Butelką". Miał strasznie rasową, wilczurzą twarz i wyglądał jak hipsterska wariacja na temat wschodniego Europejczyka w stylu Eugene'a Hutza z Gogol Bordello. Był zbyt przegięty i świadomy swojej stylizacji, by to było naturalne. Nosił marynarkę z łachów na wagę, z czerwoną gwiazdą w klapie, i matrosowski podkoszulek w niebieskie paski. W ucho wbity miał cygański kolczyk. Nosił zarost typu „five o'clock shadow", ale z tego zarostu wybijały się nieco wąsy – były o milimetr może dłuższe niż broda. Tylko o milimetr. Sprytny ten zabieg – z jednej strony – sprawiał, że wąsy było widać, a z drugiej – niwelował efekt wieśniactwa. Ciemne włosy miał zaczesane do tyłu jak Nick Cave, gdy jeszcze miał włosy. Luźne, ciemnobrązowe spodnie w kant opadały na rozsznurowane trampki.

– Gdy byłem mały, wyjechaliśmy do Polski. Jako Polacy niby. Do Peremyszla… – opowiadał.

– Do Peremyszla – powtórzyłem za nim, a dalsza część historii już mi przez ten „Peremyszl" błysnęła swoją oczywistością.

– Idźże ty z Peremyszlem – wbił się Udaj, który był z Przemyśla.

– …i tam starzy znaleźli pracę, tam poszedłem do szkoły. Do klasy chodziłem z przytomnym tu, choć ledwo ledwo, Udajem. No i wiesz – wyszczerzył te kły swoje, bo on kły miał wilczurze dziwnie – moi rodzice nadal jeszcze mają nadzieję, że uda im się zostać prawdziwymi Polakami w polskim Przemyślu.

– A ty już, rozumiem, nie masz.

– Nie – odpowiedział. – Tak często słyszałem, że jestem Ukraińcem i że moje miejsce jest na Ukrainie, wśród rezunów i morderców, że wziąłem to sobie do serca.

– Eeeej, ja ci tak nie mówiłem – wtrącił Udaj.

– Zapewne dlatego, że nie kumałeś, o co chodzi. Wróciłem w każdym razie do Lwowa – opowiadał Taras – gdy tylko skończyłem osiemnastkę. Mam tu dziadków ze strony matki. Tu mi, kurwa, nikt nie mówi, że jestem Polaczkiem. Tu się urodziłem. Babka – niby-Polka, ale co to za polskość. Tylko tacy idioci jak moi starzy mogli pomylić polskość ludzi wychowanych w Sowietach z polskością Polaków z Polski. Albo polscy politycy. Bo nasza lokalna tak zwana Polonia wie doskonale, że nawet jeśli są jakimiś tam Polakami, to jednak zupełnie innym gatunkiem Polaków niż ci w Polsce. Jeśli się do Polski łaszą, to z cynicznej kalkulacji, a nie z żadnej tam, kurwa, miłości do ojczyzny utraconej. Karta Polaka to, chłopie, korzyści wymierne, a nie, kurwa, pola malowane zbożem rozmaitem.

– Pola malowane teraz na Białorusi zresztą – zauważyłem. Taras się uśmiechnął.

– A mój dziadek po stronie matki – powiedział po chwili. – Ukrainiec całą gębą. W UPA walczył. To on – dodał – upierał się, żeby dać mi Taras na imię. Po swoim ojcu.

– No – powiedział Udaj – to imię to masz pojechane. To tak, jakbyś się nazywał Weranda.

– W UPA walczył – powtórzyłem. – To może do mojego dziadka strzelał.

– Może strzelał – wzruszył ramionami wilczur. – A twój do mojego.

– Dobrze, że się nie pozabijali.

– Siebie nie.

„Swój kraj" ujęty został w cudzysłów jeszcze z jednego powodu.

Bo Taras – bynajmniej – nie utożsamiał się z całą Ukrainą. Taras był dziennikarzem. Pracował we wpływowym lwowskim portalu internetowym Occidens.ua. Jak sama nazwa wskazuje był to portal jednoznacznie prozachodni. No i, bo na Ukrainie jedno wynika raczej z drugiego, antywschodni.

Wschód mojego kraju, mówił Taras, niczym się nie różni od Rosji. Rosyjska, niech będzie: słowiańska cywilizacja, mówił, to cywilizacja, która zamienia ludzi w monstra, a przestrzeń w sracz. Te mieściska wyglądające jak połupane kloce rzucone w błotnistą przestrzeń, te wiochy jak bezładna zbieranina dech. Brak potrzeby jakiejkolwiek estetyki, estetyka jako fanaberia w tym świecie chorym na słoniowaciznę i łuszczycę jednocześnie.

– Oni wszyscy są tacy sami. Tak zwani Ukraińcy ze wschodu, Rosjanie, Białorusini. Wy, Polacy, wymyśliliście sobie – mówił – stereotypy na temat poradzieckich narodów. Że Rosjanie to szowinistyczne buce, Białorusini to Wielkie Księstwo Litewskie, a Ukraińcy to Kozacy. A tak naprawdę to żadnych różnic nie ma. Tylko my się od tej szarej ruskiej masy odróżniamy, my, Ukraińcy z Hałyczyny. Z Galicji, jeśli wolicie. A oni – oni wszyscy są tacy sami. To jeden ruski lud. Wy się złapaliście w pułapkę własnych stereotypów, bo po prostu jesteście przyzwyczajeni do różnorodności. I że każdy jest „jakiś": Niemiec taki, Czech taki, Włoch taki. A tutaj nie. Poradziecki świat jest w zasadzie jak świat arabski. Wszyscy są tacy sami. A najgorsze jest to, że oni wszyscy są strasznie trywialni. Cyniczni i nudni. Wszystkim zależy tylko na osobistych korzyściach. Nie ma tu żadnego myślenia społecznego. Dlatego to wszystko wygląda, jak wygląda. Bo nikomu nie zależy, żeby wyglądało lepiej.

– O kurwa – powiedział Kusaj. – Men. Ale faza.

– A u nas, w Galicji – ciągnął Taras – to jednak co innego. U nas jest tak samo, jak w pozostałej części Europy. Nam o coś chodzi, mamy społeczne odruchy. Bo my, w Galicji, wychowywaliśmy się jako naród na habsburskim zachodzie, a dopiero po czterdziestym piątym rzuciło nas między tych szarych barbarzyńców. To znaczy Stalin nas rzucił, chuj mu na grób.

Słowem: Taras był zachodnioukraińskim separatystą. Galicyjskim. Galicja, uważał, mimo że była najbiedniejszą i najbardziej pogardzaną krainą austro-węgierskiego imperium, i tak stanowiła najbardziej cywilizowany obszar, na którym kiedykolwiek żyli Ukraińcy. Pół Azja, mówił, okej, może i tak, ale jeśli tak, to jednak i pół Europa. Historycznie, twierdził, Ukraińcy najwięcej skorzystali, będąc pod Austriakami i koniec. Czyli pod Niemcami. Nie ma co płakać i rozdzierać sztandarów, mówił. Rzeczywistość jest, jaka jest i trzeba wyciągać z niej wnioski. Trzeba oderwać się od zruszczonej, zestepowionej wschodniej Ukrainy i pielęgnować to w Galicji, co wiąże ją ze światem Zachodu. I przyłączyć się do tego świata.

„Zielona Karafka", knajpa, w której siedzieliśmy, wyglądała jak porządny środkowoeuropejski szynk w jednym z przyjemnych środkowoeuropejskich miast – Pradze, Krakowie, Ołomuńcu, Bratysławie, Budapeszcie, Nowym Sadzie, Lublanie czy Zagrzebiu.

Przed knajpą wisiał kuty szyld. W środku panował nastrojowy półmrok. Na stolikach stały świeczki. Na ścianie, jak to się też zdarza w Krakowie (a jakoś rzadko w Wiedniu), wisiał stary cesarz Franciszek Józef o wąsach i bokobrodach, jak to kiedyś ujęto, jak u orangutana. Barman był poczciwym grubasem o jowialnym, czeskim poczuciu humoru. Piwo mieli dobre. Lwiwskie.

I wszystko było napisane łacinką. To był język ukraiński, ale zapisany właśnie łacinką. Z czeskimi znakami diaktrycznymi: č, š, i ž.

I to było niesamowite, co z nim ta łacinka zrobiła.

Te same wyrazy zapisane łacińskim alfabetem przenosiły się z „ruskiego", postsowieckiego kontekstu w kontekst środkowoeuropejski. Od zimnej i wrogiej rosyjskości bliżej im było do ciepłej i poczciwej czeskości. „Пляшка червоного вина" inaczej wygląda zapisana niż „pljaszka červonoho vina".

Później przyszli tutaj inni separatyści, koledzy Tarasa. Gdy się upili, śpiewali *Boże wspomóż, Boże ochroń**. Ja też śpiewałem,

* Hymn Austro-Węgier.

po polsku, a Taras i jego koledzy – po ukraińsku. Udaj i Kusaj najpierw myśleli, że to „Deutschland, Deutschland" i to właśnie zaczęli śpiewać, ale ich opieprzono i ograniczyli się do mruczanda, chichotania jak dwa chomiczki z kreskówki i powtarzania „o ja", „o ja". Później śpiewaliśmy po niemiecku, a jeszcze później – gdy już się porządnie napraliśmy – barman wyciągnął wydrukowane teksty po czesku, słowacku, węgiersku, rumuńsku, chorwacku, serbsku i słoweńsku. A nawet po włosku i friulsku. Też śpiewaliśmy, co tam.

Gdy już ledwo na nogach stałem, ogłosiłem w ramach toastu, że to całe polsko-ukraińskie darcie kotów o Lwów jest żałosne. Bo my, dwa buraczane słowiańskie narody, bierzemy się za łby o ochłap rzucony nam przez Austriaków. Bo sami byśmy takiego miasta nie potrafili wybudować, wywodziłem. Ani Polacy, ani Ukraińcy.

– Zdrowie – podniosłem swoją szklaneczkę.

– To już wszystko? – spytał Taras Kabat. – Cały toast? I za co tu pić, nawet jeśli masz rację?

– Za prawdę, która nas wyzwoli – powiedziałem. – Do dna!

Separatyści spojrzeli po sobie i przechylili.

– No i? – spytał Taras, ocierając usta z pomidorowego soku, bo pił piercowkę z tomatą.

– Nie zbudowalibyśmy Lwowa – kontynuowałem – bo jesteśmy narody wiejskie. My, Polacy, mieliśmy jeszcze szlachtę, ale ta, cóż: nie wytrzymała dziejowej konkurencji. Chłopi przebrani za komunistów poradzili sobie w końcu z panami – mówiłem. Tysiąc lat to trwało, aż ich w końcu skasowali do cna. Cześć wam, panowie magnaci, nara. A w sumie jednak szkoda, bo jedyna struktura, jaka w Polsce na serio istniała, to system szlacheckich dworków. A teraz go nie ma i dlatego wszystko się rozsypuje.

– Do rzeczy – chrząknął Taras.

– To jest do rzeczy, bo to są powody, dla których nigdy nie mieliśmy porządnej urbanistyki i architektury – kontynuowałem – bo ani szlachta, ani chłopi nie budują miast. Szlachciury budowały sobie pałacyki na włoskiej licencji, a chłopi – co się dało, byle miało dach i ściany. Ruscy przynajmniej mają kremle, cebule i tak dalej, a szczytowe oryginalne osiągnięcie polskiej architektury to dworek drewniany, acz podmurowany. Wszystko inne – opowiadałem – to kopia. Jeśli już trzeba było budować miasta, to robili to za nas Niemcy. A jeśli już my, to po prostu zrzynaliśmy i tyle. Najpierw od Włochów, potem od zaborców, a potem już od kogo się dało, byle z Zachodu.

– No właśnie. To ważne, że z Zachodu – wtrącił Taras.

– Przed rozbiorami – kontynuowałem – we Lwowie istniał tylko Rynek i okoliczne uliczki.

I wszystko to było w takim stanie, że pożal się Boże. Nędza i parę ulic na krzyż. Wiesz, ile koni był w stanie wystawić Lwów, gdy Rzeczpospolita była w potrzebie? Dwadzieścia. Serio. Bo jako naród potrafiący wyłącznie kopiować, nie czuliśmy tych miast i nie mieliśmy zielonego pojęcia, jak nimi zarządzać. I przede wszystkim – jak je utrzymać.

– No, no, no. No proszę – uśmiechnął się Taras. – Nie wierzę, że mówi to Polak, w samokrytyce nigdy nie byliście mocni.

– Zdziwiłbyś się – mruknąłem. – W samokrytyce zawsze byliśmy mocni, tylko że nikomu poza nami samymi nigdy nie chciało się jej słuchać. Dlatego cały świat ma nas za tępych buców.

– Biedactwa – odpowiedział Taras. – Ale pocieszę cię: świat was nie ma za nic, bo po prostu ma was w dupie. Jak i nas. No ale idąc twoim tropem, to za chwilę dojdziemy do tego, że Ukraińcy to już w ogóle żadnego miasta nie zbudowali, a już na pewno nie Lwów.

– Nieubłaganie dojdziemy – zgodziłem się.

– A Kyjiw! – prawie krzyknął jeden z separatystów. – Ce było misto-mrija, wy by takoho nikoły ne pobuduwały! Treba było waszemu Bolesławu joho zawojuwaty...

– To było dawno i nieprawda – odpowiedział ku mojemu zaskoczeniu Taras.

Spaliśmy u dziadków Tarasa. Mieli mieszkanie w kamienicy na Bandery, dawnej Sapiehy. Obudziliśmy się z kacem, ale postanowiliśmy, że jedziemy od razu: jak hardkor to hardkor. Taras twierdził, że nie pił tak znowu dużo (choć pił dużo) i że spokojnie może prowadzić.

Przy śniadaniu, po składniki którego babcia Tarasa pobiegła na targ, zastanawialiśmy się, gdzie pojechać. Na północ? Nie mieliśmy ochoty na północ. Było lato. Poza tym Wołyń jakoś wszystkim źle się kojarzył. I jednoznacznie. Na wschód? Może i na wschód – mówił Taras – ale nie tak od razu, spokojnie. Na zachód, wiadomo, sensu nie było. Stamtąd przyjechaliśmy. Na południowy zachód, na Zakarpacie? Tam najbardziej ciągnęło Tarasa, ale zaprotestowali Udaj i Kusaj, którzy najbardziej chcieliby jednak na wschód, bo tam jest „o ja". Pozostało południe, do którego nikt nie miał specjalnych zastrzeżeń. Kiedy więc zjedliśmy twarożek z rzodkiewką i popiliśmy czarną kawą, wsiedliśmy do starej, czarnej wołgi Tarasa (która, byłem pewien, stanowiła uzupełnienie jego image'u w stylu cool Eastern European) i ruszyliśmy w stronę ulicy Gwardyjskiej i na wylotówkę na Tarnopol i Czerniowce.

Taras prowadził. Tak samo jak wszyscy inni dookoła, czyli nieco nerwowo i na bezczela. Jechaliśmy sobie spokojnie, słuchając dziwnej, atonalnej muzyki, którą dostarczyli Udaj i Kusaj, jaraliśmy biełomory z wkładką od żul-punków i podziwialiśmy krajobraz, który z zapustaczonego w pion zamienił się w zapustaczony w poziom, gdy Udaj od niechcenia spytał Tarasa:

– I jak ten kwas?

– Jaki kwas – zaniepokojony spojrzałem na Tarasa – zeżarłeś kwasa i prowadzisz?

– Spoko – odpowiedział Taras, nie odrywając oczu od drogi. – Taras zjadł kwasa, kwas zje Tarasa. Jak hardkor to hardkor, jak *Fear and Loathing* to *Fear and Loathing*, nie? Jeszcze nie wszedł, czekam – dodał pod adresem Udaja.

– No bez jaj – wystraszyłem się, patrząc na szosę, po której samochodowe trupy rwały jak potępieńcy: środkiem, bokiem, jak się dało. – Kurwa, w Nevadzie to oni mieli pustą drogę przez pustynię, a tutaj jednak... – przerwałem, widząc pełne pogardy spojrzenia całej trójki. Westchnąłem.

– Taras – powiedziałem po chwili, gdy mijaliśmy aptekę. – Możesz się tu na chwileczkę zatrzymać?

Wszedłem i kupiłem pięć flaszek balsamu Wigor. Potrzebowałem jakiejkolwiek stabilności. A spida nie mieliśmy.

Balsam Wigor uspokoił mnie na tyle, że sam zeżarłem kwasa. Faktycznie. Jak parano to parano. Czekałem, aż wejdzie i patrzyłem na ten kraj, który przypominał mi Polskę jak żaden inny na świecie. Tak samo pięknie wyszlifowany przez naturę i tak samo zasrany przez działalność człowieka.

– Trochę mi was szkoda. Was, Polaków – Taras prowadził z gandzio-biełomorem w zębach. Wyglądał jak Wilk z *Wilka i zająca*. – Musicie w głębi waszych polskich dusz żałować, że Niemcy was porządnie nie zgermanizowali. Teraz byście byli sobie szczęśliwymi Giermańcami i nawet by wam nie przyszło do głowy mieć im tego za złe. Bo niby czego. A tak to musicie się męczyć z tą swoją polskością.

– Sam jesteś Polak – odpowiedziałem. – Mimo wszystko, jakoś tam.

– „Jakoś tam, mimo wszystko" – wykrzywił się Taras, złejąc wyraźnie. – Gdy próbowałem być Polakiem, to twoi szanowni rodacy na chuju stawali, żeby mnie odwieść od tego przedziwnego zamiaru i tłumaczyli, że nie dla ukraińskiego psa kiełbasa – czuć było, że się nakręca. – Więc ty nie próbuj grać teraz, kurwa, w drugą stronę. Zdecydujcie się, kurwa. Ja nie mam nerwów, żeby się przejmować waszymi, kurwa, zmiennymi polskimi nastrojami... Ciesz się, że w ogóle do ciebie mówię po polsku...

– Okej. Gdybyśmy więc was porządnie spolonizowali – powiedziałem – też byście pewnie nie mieli nic przeciwko temu. Choć nie jestem pewien, czy w drugą stronę to też by działało. Czy my byśmy byli szczęśliwi, gdyby nas zukrainizowano. Weźże, kurwa, trochę zwolnij. I nie jedź środkiem drogi, bo nas pozabijasz.

Udaj i Kusaj siedzieli na tylnym siedzeniu. Ich oczy były jak wyłączone telewizory. Słuchali muzyki. Musieli, pojeby, zeżreć kwasa jeszcze wczoraj w nocy i dziś rano poprawić. Mój jeszcze nie wszedł, choć zaczynało mi się powoli robić ciepło i odczuwałem przyjemne mrowienie w nogach.

– Gdyby twoich przodków zukrainizowano, to ta ukraińskość byłaby dla ciebie tak samo oczywista jak teraz polskość – powiedział Taras. Odwrócił się w moją stronę. – Może byś był nawet ukraińskim szowinistą, kto wie.

– Truizm – przerwałem mu, bo zaczęło mu się robić za łatwo. – Zjedź na prawą stronę.

– Co – roześmiał się. – Boisz się ukraińskiej milicji? Że nas zatrzymają, wsadzą do pierdla, a tam jest co, ruski hardkor i masakra? Ty, Polak z, ho-ho, Zachodu, jak chcielibyście o sobie myśleć, boisz się ukraińskiej, wschodniej rzeczywistości?

Zabrzmiało to tak zimno, że aż cały, ciepły w sumie, klimat *Fear and Loathing* zadrżał w posadach.

– Nie, kurwa – odpowiedziałem, choć się oczywiście bałem. – Boję się, że zaraz zakończą się nasze przygody na którymś z przydrożnych słupów.

– Masz rację, że się boisz – powiedział po chwili Taras, zjeżdżając jednak nieco na bok. – Bo wschód to faktycznie jest hardkor i masakra.

– Ja nie o...

– Mnie, widzisz, chodzi o pewien wybór.

– Wybór – czknąłem, bo mi się balsam Wigor odbił. – Wybór czego?

– Między europejskim Wschodem a Zachodem. Wybór cywilizacji. Oglądałeś taki film – *Wristcutters*?

– Nie.

– To o miejscu, do którego trafiają samobójcy. W zasadzie jest tam tak samo jak w normalnym świecie, tylko gorzej. Wszystko jest rozjebane i beznadziejne. Ludzie się nie uśmiechają. Wszędzie jest pełno zakazów. A na niebie nie ma gwiazd.

– Czyściec – powiedziałem.

– Właśnie. Europa Środkowa, ta pomiędzy Rosją a Zachodem, to czyściec. Zachód to ten normalny świat, z którego pochodzą samobójcy. No a ten czyściec to my. Nikt się nie uśmiecha. Wszystko jest rozjebane i beznadziejne. Pełno zakazów.

– A gdzie jest niebo? – spytałem.

Wzruszył ramionami.

– Wiem, gdzie jest piekło – odpowiedział.

Jechaliśmy przez chwilę w milczeniu.

– No nie, ja pierdolę, stary – powiedział w tej ciszy Udaj. Puste telewizory wmontowane w jego oczodoły nagle jakby zamrugały – nie wrzucaj takich ciężkich jazd, men.

– To czemu po prostu stąd nie wyjedziesz, Taras? – spytałem.

– Bo jestem Ukraińcem i to nie jest najlepiej notowana na giełdach marka. A każdy musi kimś być: Polakiem, Niemcem, kurwa, Francuzem. Też mi się to nie podoba, ale co mam zrobić. Wołga tak słabo ciągnęła, że przez chwilę byłem pewien, że rozpierdolimy się w drzazgi o białopyskiego gaz-a, który pędził z naprzeciwka.

– To mów, że jesteś Polakiem – odpowiedziałem. Popatrzył na mnie z rozbawieniem.

– Myślisz, że to tak wiele zmienia? – spytał.

– Ale ja – podjął po chwili, gdy wepchnął się w szczelinę między maską gaz-a a błotnikiem wyprzedzanej łady – mam w dupie narody.

– Dużą masz dupę – skomentował z tyłu Udaj. Taras zerknął wesoło w jego odbicie w lusterku.

– Biadoliłeś wczoraj, Łukasz – mówił Taras – że Polacy kopiowali miasta z Niemiec i Włoch. A po cholerę mieli wymyślać swoje, jeśli już było wymyślone, i to porządnie? Żeby stworzyć swoją, polską wersję? A po chuj, za przeproszeniem? Co to za fetysz, żeby wszystko było własne?

– Nie wiem. Bo każdy ma swoją specyfikę – wzruszyłem ramionami. – Mentalność.

– Bzdura – Taras otworzył okno i splunął dopalonym biełomorem. – To ciągłe gadanie o narodach zamazuje podstawowe zadanie, jakie stoi przed państwem. Po co jest, dajmy na to, Polska? Czy przypadkiem nie po to, żeby zapewnić Polakom dobre życie, i tyle?

– No, ale elementem tego dobrego życia – powiedziałem bez specjalnego przekonania – jest świadomość, że coś zostało u nas wymyślone…

– A po chuj?! – krzyknął Taras. – Polska chce być częścią Zachodu, i dobrze. No to co jest nie tak z przyjmowaniem zachodnich rozwiązań? Czy w Małopolsce narzekają, że stosują rozwiązania z Wielkopolski? Ludzkość zawsze opierała się na przejmowaniu rozwiązań innych. Dlatego, kurwa, rozwinęła się cywilizacja. Można adaptować do lokalnych warunków, ale po cholerę wymyślać własne? Co to za chora, megalomańska obsesja? A po wymyśleniu państw narodowych wszystkim odpierdoliło i każdy się upiera, że każdy musi wymyślić sobie własny model wszystkiego. To jakieś, kurwa, zwyrodnienie intelektualne. Zachodnie rozwiązania społeczne są najlepsze, i tyle. Bo na zachodzie człowieczeństwo jednostki jest najbardziej szanowane. A człowiek potrzebuje szacunku dla siebie. I państwa, które się nim opiekuje, a nie nad nim znęca. Każdy, niezależnie od kultury. I tak, to jest, kurwa, aż takie proste.

– Men – usłyszeliśmy z tyłu głos Udaja. – Ja już nie wiem, czy ci kwas nie wszedł, czy właśnie wszedł, ale takie fazy zapodajesz, że ja cię nie pierdolę.

– Udaj, kochanie – powiedział Taras, zerkając w lusterko – żuj sobie spokojnie kwaska i nie wtrącaj się w rozmowy dorosłych.

Udaj wyłączył telewizory w oczach.

– Może to, co mówisz, jakoś pasuje do naszej kultury – powiedziałem. – Ale na przykład muzułmanom przejmowanie zachodnich rozwiązań już się mniej podoba.

– Bo muzułmanie są od urodzenia jebani w głowę – odpalił Taras. – Dokładnie tak samo jak te biedaki w Korei Północnej. Jeśli na przykład muzułmankom wmawia się całe życie, że paradowanie okrągłą dobę w pokrowcu na muzułmankę to jej przywilej, a nie upośledzenie, w końcu w to uwierzą. Tak samo jak Koreańczycy wierzą w to, że gdy Wielki Przywódca idzie przez park, to mu ptaki ćwierkają *Międzynaro-*

dówkę. Całe gadanie o poszanowaniu odrębności kulturowej to brednie. Daj no tego płynu na potencję.

Podałem mu Wigor. Upił łyk.

– Tak więc ja, tak zwany Ukrainiec, nieudany tak zwany Polak – oznajmił Taras – żyję na granicy dwóch cywilizacji. Zruszczonego stepu i humanitarnego Zachodu. I zgadnij, co wybieram. Bud'ma! – zasalutował butelką balsamu.

– To dlaczego cała Rosja nie wybiera Zachodu? – spytałem po chwili. – Jeśli ta zachodnia cywilizacja jest taka atrakcyjna?

Taras powoli zwrócił ku mnie wzrok. Kwas mu już chyba jednak wchodził.

– Bo Rosja jest jebana w głowę tak samo jak muzułmanki i Koreańczycy. Tyle że muzułmanki jebią w głowę muzułmanie, Koreańczyków – wielki wódz i jego koledzy, a Rosja jebie się w głowę sama.

– Ty – powiedziałem, widząc, że jedziemy w stronę pobocza – weźże patrz na drogę. Jak chcesz, to ja mogę poprowadzić.

Popatrzył i wyrównał.

– A od Zachodu i tak nie mamy ucieczki, bo to on nas stworzył – powiedział po chwili, a auto podskakiwało na wybojach, co ujmowało sporo powagi temu, co mówił. – Cywilizacja, pod którą podpisuje się Europa Środkowa, to po prostu peryferia cywilizacji niemieckiej. Miałeś, Łukasz, rację. Z Niemiec pochodzi wszystko, z czego Europa Środkowa jest dumna: architektura miast i miasteczek, sztuka, prawo, filozofia i tak dalej. To znaczy, oczywiście, źródłowo z Włoch i Francji, ale i tak wszystko szło przez Niemcy. Bo na miejscu faktycznie wymyślono niewiele.

– Bo czym tak naprawdę są Słowianie? – kontynuował. – Słowian już nie ma. To znaczy – są, ale jedyne, co po nich zostało, to wieczny burdel i prostacka mentalność. I język. Czyli łączy nas ze Słowianami tyle samo, co współczesnych Węgrów ze stepowymi nomadami. Albo Meksykanów z Aztekami. Słowianie to kopalne resztki. To skansen. Kultura, która zdechła i już nie rodzi. Bo nie ma po co. Bo przepierdoliła w konkurencji. Słowiańskość jest czymś takim samym jak azteckość. Albo, kurwa, totenhockość.

– I to dlatego – mówił, omijając co większe dziurska w szosie, z mniejszymi dając sobie jednak spokój – Czesi czy Słoweńcy są tak z siebie dumni. A dumni są z tego prostego powodu, że na tle innych słowiańskich krajów są o wiele bardziej rozwinięci. Na zachodni sposób. Nie słowiański. I z tego są w gruncie rzeczy dumni, a nie ze swojej słowiańskości. Bo prawda jest taka, że jedyne, co im z tej słowiańskości pozostało, to język. Cała reszta to wariant niemieckiej kultury.

– Ale nie widzę w takim zniemczeniu niczego złego – kontynuował swój kwasowy monolog. – Przeciwnie. Cywilizacja – powtórzył raz jeszcze – powinna służyć człowiekowi. Po to jest. A nie człowiek cywilizacji, jak to jest w kraju, który uważa się za wzór sevreski dla wszystkich Słowian – w Rosji. Dla ludzi żyjących w tej części świata byłoby najlepiej – dodał – gdyby w podobny sposób co Czechy i Słowenia ucywilizowały się inne kraje. Słowiańskie czy niesłowiańskie.

– Ale jak w takiej sytuacji zachować szacunek do siebie? – spytałem.

– Ale jak to „szacunek do siebie”? – odpowiedział Taras. – My, Europejczycy ze Wschodu, nie musimy mieć żadnych kompleksów wobec Zachodu. Po prostu wszystko potoczyło się tak, jak miało się potoczyć, inaczej nie mogło. No bo – wywodził – żeby być krajem tak wysoko stojącym kulturowo i cywilizacyjnie jak, dajmy na to, Holandia czy Francja, musielibyśmy spełnić pewne wymogi historyczne czy geopolityczne, które Holendrom i Francuzom pozwoliły dojść do obecnego statusu, więcej, które w ogóle uczyniły ich Holendrami czy Francuzami. A jeśli tak, to od naszego wspólnego, indoeuropejskiego rdzenia, leżącego, notabene, na terenie obecnej Ukrainy, musielibyśmy się oderwać wcześniej, niż się oderwaliśmy, zajść dalej na zachód, zmieszać się z praindoeuropejczykami, stykać się z Rzymem, brać udział w kolonizacji świata i tak dalej. Gdybyśmy to zrobili, gdybyśmy to my powtórzyli ich historię, nazywalibyśmy się właśnie Francuzami czy Holendrami. Ale patrz: Francuzi i Holendrzy istnieją. Czyli właściwie to wszystko się wydarzyło. Niestety, ani moi, ani twoi praprzodkowie nie byli między tymi, którzy stworzyli Francuzów czy Holendrów. A zresztą pewnie jacyś byli, tylko rozsiali swoje geny po wschodzie w ciągu ostatnich półtora tysiąca lat. I w zasadzie wyłącznie o to chodzi. No ale z tego powodu trudno mieć jakiekolwiek kompleksy.

– Poza tym – ciągnął Taras w ciszy, która zapadła. – Gdyby historia potoczyła się inaczej, niż się potoczyła – nie istnielibyśmy. Bo nie istnielibyśmy nawet, gdyby naszym szanownym papom zachciało się przespać z naszymi szanownymi mamami o innej godzinie. Istniałby kto inny. Dlatego wolę istnieć tak, jak istnieję, niż nie istnieć w ogóle.

– Ale popłynąłeś, Taras – powiedziałem, czując, że wołga

w której jechałem, staje się miękka, przezroczysta, nieomal rozpływa się w powietrzu – niezły ten kwas.

– Podwójnie namaczany panoramiks – powiedział Kusaj z tyłu – skończyliście już?

No i w końcu kwas uderzył z całą mocą. Zacząłem się śmiać i łapać piksele w powietrzu – bo na piksele mi się rzeczywistość zaczęła rozbijać. Tarasa złapało gdzieś w jakiejś wsi, mniej więcej w ćwierci trasy na Tarnopol, i – bez żadnego wyjaśnienia – skręcił z głównej drogi na jakąś wiochę, która nazywała się Kurowyczi. Tu nie było asfaltówki, Taras jechał jakieś siedemdziesiąt–osiemdziesiąt na godzinę wyboistą gruntówą i straszył kury.

– Łot de fak robisz, men! – śmiał się Udaj, nafazowany jak mała małpka. – Co to, kurwa, jest, to chyba nie wasza autostrada, nie?

– Wasze nie lepsze – mruknął Taras, dodając gazu. Jakiś chłop chciał wyjść z obejścia i musiał odskoczyć, bo mu Taras śmignął czarną wołgą przed oczami.

– Nie mogłem jechać tamtą drogą – powiedział po chwili, zwalniając jednak trochę.

– Ale dlaczego, stary? – dopytywał się Kusaj.

– Bo mi się zaczęło wydawać, że jest polana olejem – niechętnie przyznał Taras. – I że za chwilę wpadniemy w poślizg. A poza tym jakoś się niepewnie czuję. Tracę kontrolę, nie wiem…

– Ty – wyszczerzyłem się – miał być hardkor, nie?

– Tak? – Taras rzucił na mnie wilczurze spojrzenie, widać było, że kwas zaczyna go rozbierać – to prowadź, jak jesteś taki mądry.

– A proszę cię bardzo, kolego – powiedziałem. Taras dał po hamplach i wysiadł. Też otworzyłem drzwi. Obszedł samochód od strony maski, ja od strony ogona. Wsiadłem za kierownicę. Chwilę mi zajęło, zanim pokapowałem się, co do czego. W końcu ruszyłem. Prowadziło się toto topornie, jak krowę na rzeź, ale jednak coś w wołdze było podniecającego. Wołga to maszyna masywna i potężna, plagiat bo plagiat, ale jednak krążownika szos. Jechałem środkiem gruntówki i wydawało mi się – choć trzęsło – że jadę po miękkiej pierzynie. W ogóle świat wydawał mi się jakiś dobry i ciepły.

– Daj mi, bracie – wyciągnąłem dłoń do Tarasa – balsamu.

Napiłem się, a potem podałem butelkę na tył, Udajowi i Kusajowi. Ci wystawiali głowy przez okna jak psy. Krajobraz przypominał ten u nas, był nawet bardziej harmonijny, bo nie było tutaj tych rdzennie polskich pustaczanych kloczydeł. Tutaj, na podelwowskiej wsi, potrwała sobie po prostu zielona przestrzeń i pasące się na niej krowy. Krajobraz pasterski. Agrarna idylla. Rurytania.

Po jakiejś półgodzinie wjechaliśmy do kolejnej wsi. Nazywała się Antyniwka.

Domy były drewniane, stały rzędem przy gruntowej drodze. Jesienią musiała być z tego rzeka błota i nic więcej. Zatrzymałem samochód pod sklepem spożywczym. Jak wszędzie, jak na całym bożym świecie, siedziało przed nim kilku facetów, którzy nie mieli co ze sobą zrobić, zabijali więc czas, jak umieli.

– No i patrz, Taras – powiedziałem – jednak Słowiańszczyzna. Widzisz? Istnieje.

Taras przeniósł na mnie oczy człowieka, który nie ma pojęcia, co się z nim dzieje. Kwas musiał mu ostro mielić w głowie.

– W tej wsi – powiedział Taras – słowiańska jest tylko forma. A raczej jej brak. Czyli to całe rozpierdolenie, na które nikt tu nie zwraca uwagi. Cała reszta jest zachodnia. Prawo – z Rzymu. System gospodarczy – z Zachodu, bo – było nie było – kapitalizm. Nawet za czasów komunizmu był tu Zachód, bo komunizmu nie wymyślili Słowianie. A nawet jakby wymyślili, to i tak na podstawie zachodnich rozwiązań.

– A kultura? – spytałem.

– Co kultura? – odburknął Taras.

– Ich kultura jest słowiańska.

– A w jakim punkcie? – spytał Taras. – Nawet jeśli słuchają ruskiego disco, to jednak disco wymyślono na Zachodzie. To tutaj to tylko wariant. Jeśli oglądają ruskie filmy i seriale, to jednak filmy i seriale wymyślono na zachodzie. Nawet jeśli – załóżmy – czytają książki, to one też nie są słowiańskim wynalazkiem. Słowianie nie istnieją. A jeśli istnieją, to tylko syf z nich pozostał. Istnieje tylko Zachód. Daj mi jeszcze tego balsamu na erekcję. Muszę, kurwa, zapić tego kwasa.

Nie udało się go zapić. Ani jemu, ani mnie, choć też próbowałem. Dostaliśmy się w zaklęty labirynt wiejskich, bezasfaltowych dróżek. Jeździliśmy nimi i jeździliśmy, nie mogąc się wydostać. Żadna mapa nie pasowała do naszego położenia. Wyglądało na to, że już na zawsze zostaniemy pomiędzy tymi wiochami – jakąś Dupiwką, Zadupiwką i Zazadupiwką. Wszędzie było to samo: drewniane domy, pustaczane cholera-wie-co, pełno zieleni, krowy na pastwiskach, kundle na wysuszonym błocie dróg i ludzie w czymś, co było łachmanami XXI wieku, czyli w bazarowej taniości i starzyźnie nakładanej na siebie – na oko – zupełnie przypadkowo.

Musieli patrzeć na naszą dudniącą arytmiczną muzyką wołgę jak na dziwo z kosmosu, które bez powodu pojawia się i znika, wjeżdża do wsi to od jednej, to od drugiej strony. Zatrzymywaliśmy się tylko pod sklepami i kupowaliśmy coraz to nowe flaszki dżintoników i piwa Lwiw. Piłem, prowadziłem, walczyłem z kwasem robiącym mi z mózgu flaki i rozmyślałem o Zachodzie.

Myślałem o tym, jak w latach dziewięćdziesiątych, gdy byłem jeszcze dzieckiem, liczyłem zachodnie samochody na polskich ulicach, bo chciałem, żeby u nas już jak najszybciej było jak w Niemczech, które – na swoje szczęście i nieszczęście – znałem, bo miałem tam rodzinę. Jak zastanawiałem się, czy my, Polacy, w ogóle możemy czuć się równi wobec ludzi z Zachodu – ze świata zupełnie innej jakości wszystkiego. Byłem przecież, jako Polak, częścią tej zgrzebności, tego syfu, rozpierdolu, nędzy, prostactwa, niewyrafinowania, schamienia – i nie mogłem się ot tak od tego odciąć. Mełłem ten swój kompleks dzieciństwa w późnym PRL-u i wczesnych latach dziewięćdziesiątych, o którym już – wydawałoby się – zapomniałem, a który teraz, przez tarasową gadaninę – wrócił z całą mocą.

Zresztą – myślałem – Taras nie udaje zachodniaka. Wie, że to by było śmieszne. Dlatego nakłada aktywny pancerz w postaci tego swojego image'u à la Gogol Bordello: zadziornego barbarzyńcy ze wschodu, mówiącego z chrapliwym, kwadratowym akcentem wampira z Transylwanii, pijącego wódkę i być może czasem krew, jeżdżącego wołgą, ale będącego w tym wszystkim cool. Ale robił to tylko po to, by jakoś określić się wobec świata. Bo na własny użytek dokonał absolutnej dekonstrukcji wszystkiego, co go otaczało, całego swojego kontekstu: kulturowego, cywilizacyjnego – każdego. I tak sobie rozmyślałem, aż poczułem, że od tego morza wychlanego alkoholu zbiera mi się na wymioty. Otworzyłem więc okno i rzuciłem, prowadząc, pawia na małego, czarnego pieska, który – jak się okazało – biegł przy naszym samochodzie i głośno ujadał.

– Nie jadę dalej – powiedziałem, hamując i wyłączając silnik. Obrzygany piesek, szczekając histerycznie, popędził z powrotem do wsi. – Pierdolę. Nie mogę.

Mówiłem, jak się okazało, w próżnię. Taras spał z otwartymi ustami. Udaj i Kusaj pokładli się na sobie. Chrapali. Przyciszyłem muzykę, rozparłem się na szerokim siedzeniu wołgi – i też zasnąłem.

Obudziły mnie bijące przez powieki światła reflektorów i głośne disco. Ruskie. Otworzyłem oczy. Przez chwilę mój wzrok przyzwyczajał się do koktajlu blasku i ciemności (przy akompaniamencie łupania w czaszce), dopiero po jakimś czasie zrozumiałem, na co patrzę. Było to tak dziwne, że z początku byłem pewien, że to kwasowe zwidy. Ale nie: obok nas, na gruntowej drodze pośrodku niczego, naprawdę stała biała, wydłużona, kilkunastometrowa limuzyna, jaką młodożeńcy czasem wynajmują do ślubu. To z niej biło ruskie disco. Z szyberdachu wystawały dwie wymalowane panienki w samych stanikach i machały do rytmu rękami. Udaj i Kusaj, razem z jakimiś nawalonymi jak szpadle kolesiami, skakali w rytm tego dicho po trawie. Taras siedział na masce i pił wodę mineralną. Po niecałej minucie tego jazgotu i chaosu Udaj z Kusajem strzelili misia z pijanymi kolesiami, ci wsiedli do limuzyny i pojechali przed siebie, podskakując na wybojach. Z Dupiwki do Zadupiwki czy z Zadupiwki do Zazadupiwki. Nie miałem, w gruncie rzeczy, pojęcia.

– Co-to-kurwa-było? – spytałem, wysiadając, a oczy musiałem mieć jak dwa pomidory, tak wielkie i tak przekrwione.

– Noo – odpowiedział Udaj – cadillac chyba. Ja pierdolę, widziałeś jaki wielki?

– Ale jazda – jarał się Kusaj – nie?

– No – przyznałem – a skąd to się tutaj wzięło?

– A ja wiem? – odpowiedział Udaj. – Przyjechało.

– Jakoś mnie to chuj obchodzi, skąd się wzięło – zachichotał Kusaj.

– I to jest właśnie twój problem – pokiwał głową Taras, wsuwając mineralną w moją wyciągniętą dłoń.

Noc spędziliśmy przy samochodzie, wstaliśmy wczesnym rankiem i ruszyliśmy. Kawa, której napiliśmy się w przydrożnej, śmierdzącej starym olejem budzie, była paskudna. Śniadanie jeszcze gorsze. Dziwiłem się, że można spieprzyć jajecznicę, ale można było. Zresztą humory mieliśmy nie najlepsze. Słońce wschodziło i rozcinało poranne mgły, różowo-żółte, i to była jedyna rzecz mająca sens tamtego poranka.

Po drodze w końcu nas zatrzymali. Stali przy drodze, nieforemni i kartoflowaci w tych swoich mundurach i toczkach, z wymownym napisem „DAI" na drzwiach łady. Zamachali czarno-białą pałą i zjechaliśmy. Nawet nie mieli radaru. Trochę się bałem, bo jednak mieliśmy towaru prawie po dach. Nawet Udaj i Kusaj wiercili się niespokojnie. Ale skacowany Taras westchnął tylko i powiedział, że on to załatwi. I wyszedł.

Patrzyłem, jak szepczą coś, nachyleni ku sobie, i jak Taras wyciąga portfel. Jak niższy z nich sięga jak po swoje i jak machają Tarasowi na do widzenia. Taras wrócił i siadł za kierownicę.

– Ile? – spytałem.

– Daj spokój – odparł, dziwnie spokojnie. – Nienawidzę tych kutasów, ale nie chce mi się z nimi szarpać. Nie mam, kurwa, siły. Traktuję ich jak deszcz. Leje, to się trzeba schować.

– No ale ile? Oddamy ci.

– Daj spokój – pokręcił głową. Wyglądał na przybitego. – Po prostu zapomnijmy o tym. Gdybym mógł, to bym ich wszystkich powystrzelał. Ale, kurwa, nie mogę. Więc im dałem, a oni za to mi powiedzieli, gdzie dalej stoją, na całej trasie do Czerniowców. W znaczeniu, gdzie mam uważać. I tyle.

– Ale jak uważać – zapytałem. – Przecież oni cię nie zatrzymują za przekroczenie prędkości, tylko ot tak.

– Trzeba przyjąć jakieś kryteria – odmruknął. – Choćby na własny użytek. Żeby nie zwariować.

W Czerniowcach od razu pojechaliśmy do hotelu. Najtańszy, informował przewodnik po Ukrainie, mieścił się przy dworcu kolejowym. Pani na recepcji dała nam klucze do pokoju i po prześcieradle z pieczątką ukraińskich kolei. Trochę nas to prześcieradło zdziwiło, a zdziwienie narosło, gdy się okazało, że w pokoju prześcieradła są. Dopiero gdy poszedłem do łazienki i zobaczyłem Rzymian w togach – pojąłem. Te prześcieradła to były ręczniki połączone ze szlafrokami. Patrzyłem na chude ciała „Rzymian", na ich spękane pięty w klapkach na rzepy, na nieoperowane żylaki na łydkach, na zielonkawe tatuaże niektórych z nich. Na popękane płytki podłogi w łazience, na brudne rury, na imponującego grzyba na ścianie, na rozpierdolone i zasrane do szczętu sanitariaty i wiedziałem, że gdybym był na miejscu Tarasa, tobym pewnie mówił to samo co on.

Taras, jak twierdził, czuł się dobrze w Czerniowcach. To było w końcu coś w rodzaju mini-Lwowa. Miasto austriackie, wiednioidalne jak wszystkie w dawnej Cekanii, od Tarnowa po Nowy Sad i od Pilzna po Timisoarę. Patrzyliśmy na wiedeńską secesję, która albo rozpadała się w drobny mak, albo trzymała się kupy na grubej warstwie farby (co się nazywało rewitalizacją) i na czernowieckich mieszkańców, którzy przypominali barbarzyńców w ruinach Rzymu, nie inaczej zresztą niż Polacy zamieszkujący obecnie kamieniczne dzielnice Wrocławia czy Arabowie żyjący w dawnych francuskich kwartałach Tunisu. To byli ludzie, którzy od zawsze żyli w tych stronach, zaraz obok, ale to nie oni wznieśli te miasta, te budynki. Ta secesja nie była ich, więc jej nie rozumieli, nie umieli jej używać i – generalnie – mieli w dupie, a jeśli nie mieli, to i tak ich próby zachowania jej dla potomnych były rozbrajająco niezgrabne i nieudolne. Miałem wrażenie, że traktują to miasto tak, jakby było konstrukcją stworzoną nie tyle przez ludzi na ich obraz i podobieństwo, ale po prostu dane im przez samą Naturę, jak lasy, wąwozy i góry – a kto to widział naprawiać wąwóz czy rewitalizować górę. Korzystali z miasta tak, jak ich przodkowie zawsze korzystali ze wszystkiego innego: z lasu, z pola, z łąki. Brali wszystko, co im potrzebne i nie martwili się specjalnie o efekty tego brania – co się wzięło, to odrośnie.

Centrum było odmalowane dość histerycznie, na łapu-capu, jakby chcieli jak najszybciej mieć tu z powrotem Austrię. Efekt był taki, że chodniki zachlapane były farbą, a zamalowane popękane tynki trzymały się tylko na grubej warstwie położonego koloru.

Miasto zresztą skończyło się bardzo niespodziewanie. Stare kamienice stały się wsią tak nagle, jakby budowniczowie na raz podostawali zawałów i nie dobudowali reszty. Staliśmy i patrzyliśmy osłupiali na łagodne wzgórza, sielankowe doliny i wioseczki, które nagle się nam wyświetliły przed oczami. To były widoki, które powinno się wyświetlać dla uspokojenia nerwowo chorym.

Ale później zrobiliśmy U-turn i wróciliśmy do miasta. Wyszliśmy spomiędzy kamienic i naraz wyskoczyły na nas dziesięciopiętrowce, jak banda zbójców. Stały między nimi jakieś budowle, o których nie dało się powiedzieć, czy są w trakcie budowy, czy rozbiórki. Pomiędzy nimi tkwiła drewniana buda przypominająca szopę na narzędzia. Na jej dachu sterczał prawosławny krzyż. Weszliśmy do środka. To była cerkiew. Normalna cerkiew. Wyglądała na prowizorkę, ale ewidentnie stała tu już długo. Kobieta w chustce na głowie myła podłogę. Chlustała pomyjami za ikonostas, do sfery sacrum.

– O ja – mówili Udaj i Kusaj.

A dalej zaczęła się industrialna część miasta. Czułem się jak w socjalistycznym filmie science fiction, w którym pordzewiałe maszyny radzieckiego przemysłu ciężkiego przejęły władzę nad światem. Przystanek autobusowy prezentował się tu absurdalnie, bo wyglądało na to, że wysiadać tutaj mogłyby jedynie jakieś socroboty. W takim miejscu jak to wydawało się, a dżointy to wrażenie potęgowały, że jesteśmy jedynymi żywymi istotami we wszechświecie.

A zaraz potem był Prut, który pruł tak, że jakby głowy doń powsadzać, toby pourywał.

A za Prutem było coś niesamowitego. Największy bazar, jaki kiedykolwiek widziałem. Ciągnął się kilometrami. Sprzedawali tam wszystko – od samochodów po kury i ciuchy na wagę. Okoliczni chłopi wynajmowali miejsca parkingowe na swoich podwórzach. Jeden z nich siedział w kapciach przy płocie, na zydlu. Jedną ręką karmił kury, a drugą inkasował kasę za wjazd. Chętnych było pełno. Tłum tu się kręcił jak w karnawale. Gdzieś pośrodku tego handlowego szaleństwa zaczęło rodzić się coś w rodzaju miasta. To była prawdziwa ulica Krokodyli. Powstawały kamienicoidy – z pustaków, ze szkła, niby tymczasowe, ale przecież wieczne. Przypominało to trochę westernowe miasteczko z main street, z postawionymi naprędce drewnianymi budynkami, które – w pustej prerii – miały udawać przestrzeń miejską. Obok tego wszystkiego stała niewielka cerkiewka. Wyglądała jak kolejny pawilon handlowy. A co. Wszyscy wystawili kramiki, to Jezus też.

A potem, już z powrotem w mieście, znaleźliśmy ten bar.

Jeszcze parę tygodni temu można było tam zapewne zjeść solankę i kotlet po kijowsku z frytkami, ale teraz to był już sushi-bar. Przebrandowanie i przebranżowienie. Korpulentna, typowo baromleczna pani zza baru była teraz wbita w kimono (o wiele na nią za małe), spod którego wystawał moherowawy sweterek. Wzrok miała umęczony, a na ustach grymas rezygnacji. Włosy kazano jej spiąć w kok i w ten kok wbito dwie pałeczki do jedzenia. Wnętrza restauracji jeszcze nie przearanżowano, toteż ściany nadal zdobiła drewniana boazeria. Siedziało się przy swojskich, drewnianych ławach. Przy wejściu stał prasłowiański i dobroduszny miś z perkatym brzuszkiem. Jego również wbito w kimono. Na ścianach jednak – zamiast obrazków z jeleniem na rykowisku – wisiały gejsze i bitwy samurajów.

– O ja! – zawrzasnęli Udaj i Kusaj i rzucili się fotografować. Misia, jelenia, panią za barem, mimo że ta zaczęła wrzeszczeć, żeby nie. Ale Udaj i Kusaj mieli ją gdzieś. Krzyczeli „o ja" i fotografowali. Aż w końcu Taras wyrwał Udajowi aparat z ręki i wyszedł wściekły z lokalu.

Udaj i Kusaj popatrzyli po sobie zdziwieni, po czym ruszyli za nim.

Ja też. Co miałem robić. Tym bardziej, że pani zza baru patrzyła na mnie z zimną nienawiścią.

Taras palił przed sklepem papierosa i darł się na Udaja i Kusaja.

– Czy wy, kurwa, w ogóle traktujecie nas jak ludzi? – krzyczał. – Czy jak jakiś, kurwa, dziki szczep egzotyczny? Jak jakieś zwierzęta w zoo?

– Sam fakt, że postawiłeś obok siebie szczep i zwierzęta – zauważył zaskakująco bystro Udaj – świadczy o tym, że sam nie możesz, jak to się mówi, rzucić kamieniem...

Kusaj zachichotał, ale Taras ryknął w jego stronę:

– A ty, kurwa, czego rżysz? Za kogo wy nas macie? Czy myślcie, że my tu, kurwa, żyjemy po to, żeby was zabawiać?

– Ale staaary – próbował go uspokajać Udaj – miej trochę dystansu, przecież to... – i się zawiesił. – Przecież to nie tak, jak myślisz – bąknął po chwili.

– Pierdolę was – powiedział Taras dziwnie spokojnie. – Niepotrzebnie się z wami gdziekolwiek, kurwa, wybierałem. Jesteście zwykłymi gnojami, ot co. Zwykłymi, kurwa, gnojami.

Rzucił Udajowi aparat, a w Kusaja pstryknął papierosem.

– Sami sobie wracajcie – rzucił – do Polski.

I poszedł, a my zostaliśmy. Gdy wróciliśmy do hotelu, czarnej wołgi już nie było. W pokoju nie było też plecaka Tarasa. Na ścianach za to, moją pastą do zębów, powypisywane było: „PIGS" i „HELTER SKELTER".

7. Syrobrzyccy

Choć obiecywałem sobie, że już nigdy więcej nigdzie nie pojadę z Udajem i Kusajem, był jednak ten drugi raz.

Kusaj dowiedział się od matki, że we wsi pod Kołomyją mieszka jego rodzina. Nazywają się Syrobrzyccy – mówił Kusaj – stara, polska szlachta. W 1939 roku nie zdradzili narodu i nie wypierdolili do Rumunii, mimo że mieli blisko. Ludzie honoru.

Zawsze mnie zastanawiało, jak to jest, że takie zaćpane, odklejone matołki jak Kusaj, gdy przychodzi mówić o historii, przemawiają takim samym językiem jak prawicowe oszołomy. Zdrada, honor. No ale okej, pomyślałem. Może być ciekawie.

W Kołomyi wzięliśmy taksówkę i pojechaliśmy do wsi o nazwie Ropuszyniec. Trzeba przyznać, że taryfa naprawdę wyglądała imponująco. To był jedyny samochód, jaki widziałem, w którym kuper przyklejono do reszty taśmą klejącą. Skoczem. Poszło na to z kilkadziesiąt rolek i taniej byłoby chyba go po prostu przyspawać, ale taksówkarz – pan Mykoła – wyglądał na człowieka bardzo apatycznego i cała akcja ze spawaniem zapewne go po prostu przerastała. I po najprostszej linii oporu, zamiast do mechanika, poszedł po prostu do papierniczego za rogiem.

W Ropuszyńcu nikt nie kojarzył Syrobrzyckich, rodziny Kusaja, bo przedwojennej ludności prawie tu nie było. Wszyscy za to pokazywali nam drogę do polskiego księdza, który nastał tu na katolickiej plebanii. Plebania wyglądała pośród tych ubożuchnych, wschodniogalicyjskich domków jak willa bananowego dyktatora. Szkoda, że palm nie było. Strzegł jej amstaff, a zraszacz zraszał przystrzyżony trawnik. Obok stał dokumentnie zrujnowany kościół. Wiem, że to wygląda jak obrazek z antyklerykalnej ulotki, ale tak właśnie było. Ksiądz – wysoki, młody, w porządnych sandałach i krótkich spodenkach – wyglądał tu jak angielski kolonizator w Indiach, brakowało mu tylko korkowego hełmu. Był mocno owłosiony i mówił basem. Płakał, że nędza, że brak pieniędzy na odbudowę kościoła. Zakonnice wyroiły się z ciekawością, gdy tylko nas zobaczyły – musieliśmy być na tej zabitej prowincji nie lada atrakcją. Przypominały chichoczące mapety. Tłoczyły się wokół księdza, który górował nad nimi niczym marmurowy pomnik porośnięty sierścią, i potwierdzały: jest źle i bieda. W tle zraszacz zraszał trawnik i pies się tarzał rozkosznie w tym zroszonym. Ksiądz nie mógł nam pomóc w kwestii Kusajowej rodziny. Księgi parafialne – twierdził – spalili bolszewicy. No i obiad mu stygł. Czuć było mielone w powietrzu. Nie mogłem w to uwierzyć. Nie wierzyłem, że koleś może być takim stereotypowym katabasem nie ironicznie, a ot tak, zwyczajnie. Podejrzewałem, że jest księdzem-hipsterem. Spytałem zatem, czy możemy skręcić dżointa w cieniu lipy, która rosła na księżym podwórzu. Ksiądz przeżegnał nas krzyżem świętym i kazał wypierdalać.

Skręciliśmy i tak, zaraz za bramą plebanii. Upał był jak cholera. Domy ziały otwartymi japskami okien. Któraś z kobiet zagadniętych na ulicy przypomniała sobie, że kiedyś, faktycznie, żyli tu Syrobrzyccy. I że jedna nadal żyje, tyle że już się inaczej nazywa. Bo po mężu. Ale też Polak – pokiwała głową kobieta. – Nikt ich tu nie lubi – dodała.

Dom byłej Syrobrzyckiej był sielską ruderą położoną pośród głębokiego sadu. Opodal wznosiły się kołchozowe zabudowania. Sama pani Bykowska – bo tak się teraz nazywała – była zwiewną staruszeczką o złotych zębach i włosach upiętych w wysoki kok. Ucieszyła się, gdy zobaczyła Kusaja. Nigdy go, co prawda, nie widziała ani nawet nie słyszała o jego istnieniu, ale wyściskała jak własnego syna. I zaprosiła nas do środka.

Przed telewizorem siedział pan Bykowski. Oglądał jakąś rosyjską telenowelę, której akcja toczyła się w środowisku kadetów milicji. Był uroczym zdechlaczkiem, witał się radośnie i lekko rubasznie. Na ściennym dywanie wisiała stara, zardzewiała szabla. A nad nią – ryngraf z Maryją.

Ale do stołu zaproszono tylko Kusaja. Państwo Bykowscy bardzo nas przepraszali, ale – mówili – do stołu się w ich rodzinie dopuszcza tylko szlachtę. Nam kazali usiąść na fotelach, przed telewizorem. Nie mogłem w to uwierzyć. Jak oni utrzymali te fanaberie pół wieku w ojczyźnie ludu pracującego? Przynajmniej jasnym się stało, dlaczego nikt ich tu nie lubi.

Siedzieliśmy więc z Udajem przed telewizorem, oglądaliśmy telenowelę o rosyjskich kadetach milicji, póki co – niewinnych i pełnych pięknych ideałów jak Erast Pietrowicz Fandorin, ale już niedługo spasłych, obleśnych i skurwionych.

A przy stole pan Bykowski i pani Bykowska, primo voto Syrobrzycka, pokazywali Kusajowi jakieś stare, szlacheckie papiery wyciągnięte ze schowka pod podłogą.

Kusaj patrzył na to wszystko, oglądał, próbował nawet czytać i wąchać, ale nic z tego nie rozumiał. Kiwał tylko głową i był dumny, że jego przodkowie nie zdradzili i byli ludźmi honoru.

8. Gonzo

No i tak się porobiło, że zawodowo zacząłem zajmować się ściemnianiem. Łganiem. Bardziej fachowo sprawę ujmując – utrwalaniem stereotypów narodowych. Najczęściej paskudnych.

Opłaca się. Bo nic się lepiej w Polsce nie sprzedaje niż Schadenfreude. Wiem to dobrze. Wystarczyło, bym napisał kilka tekstów na temat Ukrainy utrzymanych w tonie gonzo – a już miałem zlecenia. Epatowałem w tych tekstach ukraińskim rozdupczeniem i rozwłóczeniem. Musiało być brudno, mocno, okrutnie. Taka jest istota gonzo. W gonzo jest gorzała, są szlugi, są dragi, są panienki. Są wulgaryzmy. Tak pisałem i było dobrze.

Najlepsze stałe zlecenie dostałem z jednego ze świeżo powstałych w Krakowie portali internetowych. Co tydzień miałem podsyłać porcję ukraińskiego mięsa. Oczekiwali hardkoru, to hardkor dostawali.

Wcześniej jednak musiałem wymyślić sobie pseudonim. Nie chciałem publikować tych bzdur pod własnym nazwiskiem. Tak więc pisałem jako Paweł Poncki. Uznałem, że tak będzie cool. Biblijne pseudonimy zawsze dobrze brzmią. Jak

Jesus z *Lebowskiego* czy Chris Pontius z *Jackassa*.

No w każdym razie płacili. I sponsorowali kolejne wyjazdy na Ukrainę. Ściemniałem więc w swoich artykułach na potęgę i wymyślałem historie tak hardkorowe, że się w pale nie mieści. Robiłem z Ukrainy bajzel na kółkach, piekło à la Kusturica, w którym wszystko może się zdarzyć i się zdarza. Dziki, dziki wschód. Polacy to lubili, klikali i czytali. A im więcej klikali, tym chętniej i więcej płacili reklamodawcy. Sprzedawanie negatywnych stereotypów na temat sąsiadów przynosiło w Polsce całkiem konkretną kasę.

Ale nie o to chodziło, że miałam coś do Ukrainy. Nie miałem. To wszystko wyszło jakoś tak samo z siebie. I jak to zwykle bywa, na początku miałem jak najlepsze intencje. Albo raczej – nie miałem złych. Tak, wiem, czym jest piekło wybrukowane.

Jeździłem więc po Ukrainie i szukałem tematów. Były wszędzie, wystarczyło się rozejrzeć.

Na przykład któregoś dnia Maciek, mój szef, zażyczył sobie gonzo na poruszający temat społeczny. Nie wiadomo, skąd przyszedł mi do głowy alkoholizm. Zrobiłem łżereportaż o babie-zielarce, czarownicy, która leczyła z uzależnienia od wódki. Usłyszałem o niej, gdy bawiłem we Lwowie. Już nawet nie pamiętam, gdzie się w tej historii kończy prawda, a zaczyna ściema. Dobrze zacierałem łączenia.

W moim gonzo reportażu było tak: w wyniku procesu urbanizacji ZSRR moja zielarka przeniosła się kilkadziesiąt lat temu ze wsi do miasta i nie mieszkała już, jak stereotypowa czarownica, w drewnianej chatce obwieszonej girlandami z czosnku i wiechciami ziół, tylko w chruszczowowskim, nieotynkowanym bloku przy ulicy Łypyńskoho we Lwowie. A zioła i czosnek wisiały na balkonie, dekokty warzyły się w łazience.

Do baby-zielarki przychodziły kobiety z zapitymi chłopami i uderzały w lament: pomóżcie, babo Łesiu, pomóżcie, życia z nim nie ma, pije jak smok – a chłopy stały za nimi, kiwając się na nogach i patrząc głupawo po kątach jak niedorozwinięte dzieci. Baba Łesia okadzała delikwentów, dawała jakieś świństwo do picia, paliła jakąś włóczkę, kasowała pieniądze. Nic to oczywiście nie pomagało, ale placebo to placebo i mało kto przychodził z reklamacją, tak samo jak mało kto przychodzi z reklamacją do kościoła, że modły nie działają.

W mojej wersji kuracja baby Łesi jednak pomagała, przynajmniej na jakiś czas. Bo w podanym alkoholikowi świństwie znajdował się rozpuszczony środek do czyszczenia rur i chłopowi-pijakowi tak się rozpieprzał układ trawienny, że nie tylko alkoholu nie mógł przełknąć, ale nawet kotleta po kijowsku. Żony oczywiście brały to za karę boską, a gdy po długiej rekonwalescencji pacjent przychodził do siebie, miał tak zniszczony przełyk, że każdy łyk czegoś innego niż mleko powodował u niego taki ból, jakby mu roztopiony metal wlewali. Mikstura baby Łesi – ściemniałem – rozpowszechniła się już na całą Ukrainę. A sama baba Łesia myśli już nad budową willi na podelwowskim osiedlu Santa Barbara i kupnie hummera. Z kierowcą, bo sama prawa jazdy nie ma.

Redaktor naczelny Maciek przeczytał i powiedział, że dobre, ale – spytał – co, jeśli nasze baby też tak zaczną robić swoim chłopom-pijakom? I co będzie jak się ludzie potrują i zaczną do nas pozwy przychodzić, że to od nas to zajebiste know-how wyszło?

Dopisałem więc do artykułu, że na dłuższą metę terapia baby Łesi nic nie dała. Chłopy o zniszczonych przełykach siadają bowiem teraz gołymi dupami na nocnikach napełnionych spirytusem i śluzówka w odbycie wchłania opary alkoholu. I tak wyglądają ich imprezy – sześciu chłopa siedzi w kółeczku ze spuszczonymi gaciami, jara szlugi i stopniowo chłopy stają się coraz bardziej pijani. Tak więc nie dość, że efektów brak, to w dodatku zgrzyt estetyczny i własne baby na nich już zupełnie patrzeć nie mogą. Co gorsze, posiadówy na nocnikach wiosną zaczynają przenosić się w plener i alkoholicy, z przełykami zniszczonymi przez miksturę baby Łesi, stają się stałym elementem ukraińskiego pejzażu.

No więc jeździłem i szukałem tematów. Paszport miałem już opieczętowany ukraińskimi pieczęciami jak przygraniczna mrówka. Czasem z jednej podróży wyczesać można było kilkanaście gonzosów i załatwić publikacje na kilka miesięcy. Kiedyś na przykład wybrałem się w podróż do Budziaku.

Budziak to koniec świata. Ślepa kiszka Ukrainy. Zatknięta pomiędzy Morze Czarne, Rumunię, Mołdawię i Naddniestrze. Kraj, który nie istnieje. Słowem – trudno wyobrazić sobie w Europie czarniejszą dupę niż Budziak.

Najpierw trzeba było dojechać pociągiem ze Lwowa do Odessy. Biletów już niby nie było, ale wystarczyło wejść przez peron pierwszy do „VIP-kasy" na drugim piętrze budynku i okazywało się, że bilety jednak są. Do VIP-kasy wejść mógł każdy. Wystarczyło dopłacić kilka hrywien. I już było gonzo o korupcji na kolei, o mafii pań z kasy, które sprzedawały na lewo bilety i ściągały haracz z pań, które pilnowały toalet.

Wziąłem wagon kupiejny*. Miałem już dość płackart**. Płackarty wyglądały jak sklepy mięsne z ludziną na półkach. W dodatku włóczyli się po nich nawaleni polscy plecakowcy w poszukiwaniu „Ruska" do picia. Slawiści, rosjoznawcy, ukrainiści. Nie daj Boże, by jakiś pasażer otworzył piwo – od razu siedziało mu na głowie dwudziestu polskich filologów wschodnich tęchnących gorzałą i śpiewało piosenki po rosyjsku. Generalnie – najbardziej „po rusku" zachowywali się w płackartach właśnie Polacy poszukujący wschodniego hardkoru. Z tego też oczywiście poszło niejedno gonzo.

Prycza naprzeciw mnie należała – jak się okazało – do Kanadyjczyka o nazwisku Rigamonte. Gdy dowiedział się, że jestem z Polski, zaczął się zachwycać, że to kraj nietknięty cywilizacją, że po wsiach babiny w chustkach, że wspólnoty sąsiedzkie przednowoczesnego typu, że tradycje i obrzędy, że jak kto umrze, to przychodzą sąsiedzi, palą świece i śpiewają, że – ogólnie – społeczeństwo nietknięte obrzydlistwem współczesności, tylko stara, dobra, agrarna idylla. Rurytania.

Wkurwiał mnie, więc chodziłem zapalić pomiędzy przedziały. Chodząc, mijałem przedzialik prowadników. Siedziała

* Wagon sypialny z przedziałami.

** Wagon sypialny bez przedziałów.

tam prowadnica z prowadnikiem z drugiego wagonu. Pili wódkę. Zanosiło się na rychłe stuknięcie prowadnicy przez prowadnika. Oto ja, prowadnica pańska, niech mi się stanie. I stuknięcie bodaj nastąpiło, bo przez kilkadziesiąt kilometrów przedział był zamknięty. Później znów był otwarty, a prowadnicy nadal pili wódkę, tyle że byli jakby bardziej rozchełstani. Później przyszedł do nich ochroniarz. Z nimi siadł, z nimi jadł, z nimi pił za pan brat. Był gruby jak beka. Przy pasie miał kaburę z pistoletem. Być może gazowym, ale nie sądzę. Po jakimś czasie był już pijany i czerwony na ryju, ale kabury nie odpinał.

Wracałem z fajki do przedziału, a tam czekał ten debil Rigamonte. I wysłuchiwałem, jaki tam u nas w Polsce zdrowy, krzepki prymitywizm, jakie to szczęśliwe społeczeństwo i przysięgam, że miałem ochotę mu nastukać. Daleko za Żmerynką, w jakiejś Dupiwce Stepiwej czy innej równie fascynującej lokacji, pociąg stanął. Akurat szedłem zajarać, Rigamonte poprosił więc mnie, żebym przy okazji spytał prowadników, jak długo pociąg będzie stał, bo widział po drodze, mówił, otwarty sklep i chciał skoczyć kupić jakieś browary.

Gruby ochroniarz zdjął już koszulę, siedział w przedziale półnagi. Mokasyny, spodnie i tłuszcz wylewający się na pas z kaburą. Spytałem, za ile pociąg odjeżdża. Powiedzieli, że za trzy minuty i polali kieliszek wódki. Wypiłem, podziękowałem i wróciłem do przedziału. Powiedziałem Rigamontemu, żeby leciał, bo ma pół godziny. Ucieszył się i poszedł. Za chwilę pociąg ruszył. Patrzyłem zadumany, jak przerażony Rigamonte biegnie za odjeżdżającymi wagonami, za swoim plecakiem, dokumentami i ciuchami, w samych tylko japonkach i krótkich spodenkach, jak macha rękami i krzyczy.

Już z samej tej sytuacji wyszły dwa gonzosy, które od razu, jeszcze w pociągu, napisałem na podróżnym laptopiku. Pierwszy był o tym, jak najebany w trzy dupy ochroniarz w samych majtkach i z wielkim smith and wessonem przy boku terroryzuje przedział. Drugi o biednym Kanadyjczyku, któremu uciekł pociąg i został na peronie sam, w środku nocy – bez kasy, paszportu i plecaka. Wyobrażałem sobie, co taki Rigamonte mógłby w takiej sytuacji zrobić. Wymyśliłem, że idzie na najbliższy komisariat i próbuje opasłym glinom wytłumaczyć najpierw po angielsku, a następnie po francusku, że jest obywatelem Kanady i poddanym Jej Królewskiej Mości, i że życzy sobie natychmiastowego kontaktu z konsulatem. W komisariacie patrzą na niego szeroko otwartymi oczami, biorą go za ćpuna i wrzucają do przykomisariatowej celi, gdzie zostaje wielokrotnie zgwałcony przez zwyrodniałych współwięźniów.

Na przykład.

Odessa, Odessa, Odessa. Kochałem to miasto. Wtedy kochałem. Kochałem nawet ten sowiecki odeski beton, w który – zamiast małych kamyczków – wtopione były pokruszone muszle. Kochałem te złotozębe baby-cwaniary, które szerokimi dupami rozsiadały się na schodach dworca ozdobionego gwiazdą miasta-bohatera ZSRR i wrzeszczały wniebogłosy, że mają kwatery na wynajem, a jak kto do jednej z nich podszedł, to pozostałe rzucały się wyrywać jej go pazurami pomalowanymi na jaskrawą czerwień.

Kochałem to miasto. Wyobrażałem sobie, że tak musi wyglądać Hawana, tyle tylko, że po Odessie zamiast starych packardów sunęły stare wołgi. Ale biorąc pod uwagę, że wołgi to radzieckie wersje amerykańskich krążowników, to w zasadzie było wszystko jedno. Tak zresztą wtedy budowano miasta w ciepłych krainach – czy to Karaiby, Ocean Indyjski czy Morze Czarne. Pierwsza, XIX-wieczna globalizacja. I dowód na to, że Rosja nigdy nie zastanawiała się, czy wybrać eurazjatycki step, czy Europę. Step do nich przyszedł razem z Tatarami i to nie był dobry czas. A Europę kopiowali od zawsze i od zawsze instalowali u siebie. Przynajmniej próbowali. Odessa była tego przykładem. Petersburg też. Wszystko zresztą – administracja, filozofia. Czasem wychodziła im z tego kopiowania parodia. Pisał o tym de Custine. A czasem coś genialnego – jak literatura. Przez cień platanów świergotało słońce złotymi plamkami, dziadkowie w brązowych spodniach, koszulach z krótkimi rękawami i w słomkowych kapelutkach grali w szachy, warcaby i tryktraka. Tynk leciał radośnie ze ścian, a falujące chodniki wyglądały jak oszalałe ze szczęścia i szczerzyły się w każdą stronę dziurskami. Jeśli to była kopia Śródziemnomorza, to udana.

Kochałem Odessę.

Gonzo z Odessy było kilka. Na przykład o babie wynajmującej kwaterę i mordującej swoich letników za pomocą nieszczelnego piecyka gazowego. Baba ograbiała ich ze wszystkiego, co mieli, po czym – razem z dziadem, bo co to za baba bez dziada – wynosiła ciała na dach bloku, na który nigdy nikt nie wychodził – i tam zostawiała. Odkryto je dopiero wtedy, gdy popularny zaczął się robić Google Earth.

Takie brednie pisałem, a ludzie to czytali.

Knajpy na Derybasowskiej dopiero się ogarniały. Dopiero coś tam powstawało. Dizajn był lamerski, wyglądał tak, jakby wnętrzarze próbowali skopiować foldery reklamowe Ikei. Jak ja to dobrze znałem, jak to znałem z polskich lat dziewięćdziesiątych. Nazwy ulic rozbrzmiewały w uszach jak dzwony. Jekaterińska. Małaja i Bolszaja Arnautska. Łanżerońska.

Na Mołdawiance, gdzie z nudów szukałem śladów żydowskich gangsterów Babla – nie było prawie nic. Po mordzie można było, owszem, dostać, ale trzeba było się bardzo postarać. Postarałem się i dostałem, w imię sztuki. Gonzo wyszło z tego niezłe. Ze schodów odeskich roztaczał się absurdalnie paskudny widok na port. W porcie wisiały plakaty Julii Tymoszenko. Wyglądała tu jak okupantka. W ogóle język ukraiński, który gdzieniegdzie błyskał, wyglądał jak język okupanta. Na nabrzeżu stała figurka młodej żony marynarza, która – razem z dziećmi – żegnała męża wypływającego w świat. Rzeźba była nieprawdopodobnie kiczowata, jak większość współczesnych rzeźb w tym kraju, ale i niesamowicie zmysłowa. Stałem i patrzyłem na Morze Czarne. Do barierki podszedł młody ojciec z synem, mniej więcej w wieku dzieci z pomnika. Ojciec zapalił papierosa. Oparł się o barierkę i wpatrywał w horyzont.

– Co jest po drugiej stronie, tata? – spytał chłopczyk.

– Bałkany – odpowiedział ojciec. – Tam są nasi przyjaciele. Bułgarzy. Serbowie.

– I Turcy – wtrąciłem.

– Nie straszcie mi dziecka – odparł ojciec z łagodnym wyrzutem.

Z Odessy pojechałem do Akermanu.

– Subtropiki – poinformowała mnie szeptem roztyta kobieta w wieku urzędniczym, siedząca obok mnie w marszrutce. Kiwnąłem głową, bo wiem, że oni tu mają subtropiki i że chwalą się tym przy każdej okazji. Strasznie są dumni z tych subtropików, w końcu się ich dochrapali, ale można odnieść wrażenie, że nadal nie mogą w to szczęście uwierzyć. Naród słowiańskiej północy, w mowie poetyckiej: z krainy mgieł i dąbrów, w ujęciu bardziej realistycznym: błot i brudnego śniegu – dobił, dotarł, przedarł się do krainy subtropikalnej szczęśliwości i – cóż począć – wyszedł przez to ze swojego własnego kontekstu. Stał się czymś trochę innym, niż zawsze był. A właściwie powinien się stać, ale jeszcze się jakoś nie staje.

– Subtropiki – powtórzyła panna z lubością, rozcierając to słowo na podniebieniu. – To się człowiek poci. Nie ma co się dziwić. Subtropiki to subtropiki.

Zacząłem układać w głowie gonzo o mieszkańcach jakiejś małej, nadmorskiej wioseczki o nazwie Subtropikalnoje, której mieszkańcy postanowili żyć jak Włosi czy Grecy – czyli beztrosko, na ulicy, we wspólnej przestrzeni. Pomysł miałem taki, że się niby nie udało, ale nie mogłem wymyślić, dlaczego miałoby się nie udać. Więc zarzuciłem ten wątek.

Akerman to było dopiero coś. Nie miałem pojęcia, jak zareagować na to, co zobaczyłem.

To nie było ani miasto, ani wieś. Przy miejskim układzie ulic stały wiejskie domy. I to było centrum, dookoła tej wsi stały normalne posocjalistyczne przedmieścia – bloki, supersamoidy i tak dalej. Ale to z tym „miejskim układem ulic" to uproszczenie. Bo tak naprawdę ten „miejski układ" był widoczny tylko na mapie. W realu te ulice stapiały się z podwórzami, wykwitały jakimiś nieoficjalnymi przejściami, przebitkami do innych ulic, a te przebitki traktowane były przez pieszych i samochody – w tym milicyjne – jako oficjalne ciągi komunikacyjne. Jeszcze nigdy w Europie nie widziałem miasta, które do tego stopnia byłoby pozbawione formy. Które samo by się kształtowało, pulsowało, zmieniało. Nic tu nie było stałe. I nic nie było określone. W oknach budynków wyglądających jak magazyny wisiały firanki, a w niektórych starych, przedrewolucyjnych willach widać było przez szyby nagromadzenie jakichś zakurzonych pakunków. Wszystko tonęło w dzikiej zieleni. Pomiędzy dwoma domkami jednorodzinnymi, rodem z wiochy na końcu świata, stał wysoki budynek z mozaiką w kosmonautów. Przed nim sechł pusty basen. To wszystko nie miało sensu, było tak totalnie absurdalne, że na brzegu tego basenu usiadłem i się zagubiłem. A potem poszedłem do apteki i kupiłem sobie balsam Wigor. Na szczęście był. Rozrobiłem z kwasem chlebowym i popijałem. Nie mogłem objąć tego miasta rozumem. Zresztą, wyglądało na to, że byłem jedynym, który próbował.

Poszedłem w stronę twierdzy. Wybudowali ją Turcy, ale kto by tu teraz myślał o Turkach. Trawa była jak ze stepu. Step tu wchodził w morze. Zaraz przed murami, na uklepanej ziemi, urządzono dzikie boisko do koszykówki. Na tablicy przy koszu ktoś tradycyjnie wypisał „NBA", a zaraz obok – „MAIKEL DJORDAN", koślawymi literami.

Akerman. Oficjalnie – Białogród nad Dniestrem. Przed wojną tu była Rumunia. Miasto nazywało się wtedy Cetatea Alba. Ładnie, choć nie pasowało. Nic tu zresztą do niczego nie pasowało, więc w sumie czemu nie Cetatea Alba. Spytałem o tę Rumunię jakiegoś dziadka siedzącego na schodkach pod domem. Powiedział, że Rumuni to zwierzęta i że jedzą mięso na surowo. Że u nich straszna bieda, bród i smród, i żebym przypadkiem tam nie jechał. Mówił, że pamięta, jak Rumuni okupowali Odessę. Że byli jak dzikie bestie. I że Niemcy – do których niewoli się dostał – wydawali się przy nich porządnymi ludźmi. Mówił, że Rumuni mordowali Żydów w rzeźniach, że polowali na ludzi na ulicach jak na zające.

Żadne gonzo nie przychodziło mi do głowy. Dziwnie się tu czułem, przerastało mnie to wszystko. Musiałem poszukać noclegu. Zmierzchało i atmosfera w mieście gęstniała. Zacząłem się czuć zagrożony, po prostu. W tym bezformiu. W tym nieogarnięciu. Kojarzyło mi się to z rozpadem wszystkiego. Z durkheimowskim samobójstwem.

Taksówkarz zawiózł mnie do pensjonatu.

– Innego nie znam – odpowiedział. – Być może to jedyny w mieście.

W pensjonacie był akurat remont, ale uznałem, że nie mam wyjścia. Dzwoniłem i dzwoniłem. Domofon przymocowany był do furtki. Guzik był urwany i trzeba było wsadzać palec pomiędzy jakieś kabelki. Bałem się, że prąd mnie kopnie, bo to całe urządzenie wyglądało dość poważnie: metalowe, spore, ciężkie. Po około pięciu minutach drzwi się otworzyły i wybiegł ciężki pies. Gigantyczne bydlę, jakaś mutacja boksera z cielęciem. Darł mordę jak wariat. Za psem wyszła Paris Hilton. Albo ktoś do niej bardzo podobny. Miała na stopach żółte skarpetki, a na to różowe japonki, które odkształcały skarpetkę między paluchem a resztą palców. Była ze trzy razy mniejsza od psa. Powiedziała, że pensjonat zamknięty, a rodziców nie ma. – Wyjechali – powiedziała – do Odessy. Miała może z osiemnaście lat. Powiedziałem, żeby mnie wpuściła, to sobie dorobi na boku. Pomyślała chwilę i powiedziała, że okej. Otworzyła furtkę. Pies patrzył na mnie z miną „no spróbuj, kurwa, wejść" wypisaną na pysku.

– Nie bój się – powiedziała Paris Hilton – sobaczka nie gryzie.

– To po chuj ci taka sobaczka? – mruknąłem, ale cicho. Paris złapała psa za obrożę i przycisnęła miękko do ziemi. Poddał się jej posłusznie. Usiadł, ale nie spuszczał mnie z oczu. Wiedziałem, że rozerwałby mnie na strzępy, gdyby tylko mógł, i wiedziałem, że on wie, że ja to wiem.

Pokój, który dostałem, wyglądał jak trumna z materacem w środku. Większość jego powierzchni zajmowało łóżko. Stało w przejściu. Trzeba było wchodzić na nie w butach, by się dostać do pokoju z korytarza. Inaczej się nie dało. Przez okno można było wyleźć na daszek nad drzwiami. Paris Hilton przyszła z pościelą.

– Ale nieprana – powiedziała, kręcąc nosem – nie spodziewałam się gości.

– Okej – odpowiedziałem. – Masz jakąś wódkę?

Miała. Miała też colę. I koleżankę. Na swój obraz i podobieństwo. Siedzieliśmy na daszku nad drzwiami remontowanego pensjonatu, piliśmy wódkę z colą z dziecinnych szklanek z wilkiem i zającem i patrzyliśmy na dachy Akermanu, miasta, które nie miało kształtu.

Ten pensjonat zresztą też go nie miał. Rozbudowywał się tam, gdzie było miejsce. Jak rafa koralowa. Korytarze w środku nie miały żadnego porządku, wiodły tam, gdzie akurat wypadała odnoga. Czasem trzeba było się przeciskać w przejściu tak wąskim, że ledwie się mieścił człowiek z plecakiem. Dziewczyny szybko się upiły i zaczęły puszczać Tatu z komórki. Przy *Ja soszła s uma* zaczęły się całować, pozerkując na mnie. Westchnąłem. Chwilę później koleżanka Paris zaczęła rzygać. W tym momencie zorientowałem się, że one wcale nie zaczęły pić ze mną, że one chlały już od dawna, i to zapewne od rana. W końcu starych nie ma, chata wolna. Dziewczyna rzygała i o mało nie spadła z daszku. Pies wyglądał tak, jakby tylko na ten upadek czekał. Jak krokodyl w Jamesie Bondzie. Wróciliśmy do pokoju. Dziewczyny poszły spać, a ja zostałem w pokoju. Niedługo po ich wyjściu usłyszałem sapanie. Sobaczka przywarowała pod moimi drzwiami. Bałem się wyjść choć do łazienki po wodę, a pić chciało mi się strasznie. Byłem przepalony i przechlany, ale jedyne, co mogłem zrobić, to wrócić na daszek i dalej popijać wódkę z colą na przemian z balsamem z kwasem chlebowym, patrzeć na chaos dachów akermańskich, przestwór oceanu z papy, blachy i cholera wie czego. Pod gwiazdami, które wyglądały, jakby ktoś ostrzelał czarne niebo z kałasznikowa.

Kiedyś tu była Grecja, ale nie chciało mi się w to wierzyć. Położyłem się w końcu na daszku – i zasnąłem.

Gdy wyjeżdżałem, Paris razem z koleżanką (czy rodzice wiedzą, gdzie jesteś?) siedziały na leżakach ustawionych w ogródku. Pomiędzy poletkiem kapusty i pomidorów. Miały na oczach czarne okulary. Obok leżaków stały szklanki z duralexu. Wypełnione były ciemną cieczą. Mogła to być cola bez wódki, ale jakoś nie chciało mi się w to wierzyć. Paris rozchyliła nogi. Nie miała pod spodem majtek. A ja nie miałem na nic siły. I musiałem zdążyć na autobus do Izmaiła. Nie chciałem zostawać w tym mieście ani minuty dłużej.

Autobus się spóźniał. Siedziałem w przydworcowej knajpce, która – gdyby nie menu – równie dobrze mogłaby znajdować się w Indiach. Szmata zamiast drzwi, betonowa wylewka na podłodze, plastykowe stoliki. Piłem herbatę i kawę. Na przemian. Z takich samych szklanek. Zagadywał mnie jakiś koleś. Był mniej więcej w moim wieku i mojego wzrostu, ale zbudowany jak mała tankietka. Wielkie bydlę, choć twarz miał poczciwą. Opowiadał mi, że pracuje w budowlance, i że świetnie zarabia. Że już niedługo odłoży sobie na pierwszego merola. Bitego i kilkunastoletniego, ale zawsze. Zapytałem go, jak się żyje w Akermanie zimą. Zamyślił się. – Ciemno – powiedział w końcu. – I zimno.

No, pomyślałem, kurwa, oryginalnie. Ale próbowałem sobie wyobrazić to niby-miasto, niby-wieś bez zieleni, bez światła – i zadrżałem. Zobaczyłem trzęsące się z zimna piekło. Ludzi brodzących po omacku przez czerń, przez nonsens, przez bezkształt. To musiało być potworne. Człowiek nie powinien żyć w takich miejscach.

Do Izmaiła jechało się przez step, ale step pokryty cywilizacyjnym nalotem. A właściwie jego resztkami. Jakimiś pokruszonymi betonowymi fragmentami czegoś nieokreślonego. W końcu zaczęło się miasto. Zieleń i domki. Zaraz przy dworcu zaczynało się targowisko. Przypominało mi to jakąś radziecką Afrykę. Wszyscy handlowali tym, co mieli. Od tutek ze słonecznikiem i kilku jabłek na żałosnych chusteczkach rozwijanych przez babuleńki po powiązane w pęczki indyjskie podróby harleyów. Było tu wszystko, stało pomiędzy niskimi, noworosyjskimi, kolonialnymi domkami. W tym upale, pośród tych much, ludzi ubranych jakby w pośpiechu w pierwsze lepsze chwycone ciuchy. Wyglądało to jak gdzieś w Kinszasie. Zaczynało mi się nawet podobać to bezformie. W Polsce go nienawidziłem. Tutaj nie miałem wyjścia. Zawsze podejrzewałem, że podróż na poradziecki wschód to podróż w głąb tego, czego nienawidzimy we własnym kraju. I że to jest właśnie główny powód, dla którego Polacy tu przyjeżdżają. Bo to podróż w Schadenfreude, podróż, w którą jedzie się po to, by było do czego wracać. Bo tu jest w zasadzie to samo, co u nas, tylko w większym natężeniu. Gratowisko tego wszystkiego, co próbujemy wyrzucić od siebie. Zawsze to podejrzewałem, choć napisać to mógł tylko dziennikarz piszący gonzo. Bo inaczej by go ukrzyżowano.

W centrum miasta, na cokołach, stali Lenin i Suworow. Lenin wyglądał jak Wielki Elektronik z *Pana Kleksa w Kosmo-*

sie – cały był pomalowany na srebrno. Grubą warstwą farby. Na jego twarzy widać było pociągnięcia pędzla.

Szczerze mówiąc, bardzo chciałem się już stąd wydostać. W końcu to był koniec Ukrainy. Doszedłem do samego końca. Do Kilii, odnogi Dunaju, za którą była już Rumunia. Po rumuńskiej stronie był las. Z lasu wyszedł koleś, wyjął fiuta i zaczął lać do granicznej rzeki. Pomachałem mu. W końcu rodak z Unii. Pokazał mi faka i wygiął biodra, kierując w moją stronę strumień moczu. Wyjąłem aparat i zrobiłem mu zdjęcie. Zasłonił twarz, po czym odwrócił się plecami, nie przestając szczać. Rumunia – myślałem – Europa. Chciałem tam się dostać.

Opodal był „morwakzał". W moim przewodniku było napisane, że pływały stąd promy na stronę rumuńską. Wszedłem do środka. Okienko kasy było zastawione fikusem, ktoś był jednak wewnątrz. Słyszałem głosy. Zapukałem do drzwi. Otworzono. W środku siedziały trzy panie, rozwiązywały krzyżówki i piły herbatę. Spytałem, czy mogę kupić bilet do Rumunii. Odpowiedziały, że nic już nie pływa od lat. To po co ta kasa? – spytałem, a one zwróciły moją uwagę na fakt, że stoi przed nią symbolicznie fikus. Zastawia ją. Znaczy: kasa nie działa. No więc – wyrwało mi się – po co panie tu siedzą? – A co – spytała jedna z nich, gruba, ondulowana – na bezrobocie mamy iść? Dziadować? – Liberał – burknęła druga o powierzchowności perliczki i wpisała wyraz w krzyżówkę.

Wyszedłem. Usiadłem na ławce, tyłem do Rumunii, i patrzyłem przed siebie. To tu się, myślałem, zaczyna przestrzeń, która obowiązuje stąd, z tego początku, aż po Władywostok, po Sachalin, po Japonię i Koreę Północną. Nie potrafiłem sobie jej wyobrazić. Tej przestrzeni. Jeśli Rosji nie pojąć rozumem, to jej cielska tym bardziej. Tego się objąć nie da i koniec. Nasze europejskie myślenie o przestrzeni jest tu jak domek dla lalek przy hali fabrycznej. U nas granica jest czymś naturalnym, a tu – wynaturzeniem. Wstałem w końcu z tej ławki, co miałem robić. Wróciłem w tę przestrzeń. Kwasu chlebowego sobie kupiłem z cysterny na kółkach. Dopijałem go, gdy podjechał traktor. Ciągnął już z pięć takich cystern jak ta – spiętych jedna za drugą. Wysiadł z niego kierowca, przywitał się serdecznie z babuszką-sprzedawczynią, wymanewrował traktorem i przypiął cysternę do ogonka. Odjechał, a babuszka złożyła rybackie krzesełko, wsunęła je w reklamówkę, gdzie tkwiła już gazeta, i pokołysała się na zmęczonych stopach na przystanek marszrutek.

I tak to wyglądało. Takie samo, i takie samo, i takie samo. Aż po Władywostok.

Usiadłem w knajpie. Siedziała tam parka sześćdziesięciolatków. Wyglądali jak enklawa USA na terytorium Ukrainy. Mieli tak amerykańskie miny, że nie sposób było ich wziąć za kogokolwiek innego. Ta charakterystyczna pewność siebie pomieszana z zagubieniem.

W obrębie ich stolika była Ameryka i koniec. Żaden Izmaił, Budziak, Ukraina. Była w ich mimice, gestach, sposobie, w jaki traktowali przestrzeń. Ona, wyprostowana jakby kij połknęła – była na coś wściekła, lecz powściągała tę wściekłość, panowała nad nią; ta wściekłość odbijała się wyłącznie w jej zaciętej minie i w bębnieniu długimi, cienkimi palcami w klawisze laptopa, a bębniła, jakby deszcz burzowy padał. On – nie bardzo wiedział, co ze sobą zrobić. Miał podłużną twarz amerykańskiego frajera z hollywoodzkich filmów. To czytał gazetę, to zerkał na ekranik komórki, to na Kiliję, to na Rumunię zaraz za nią. Czasem próbował zagadywać kobietę, ale ta – szczupła, długa, ze spiczastym nosem, ogólnie jakaś spiczasta – syczała tylko na niego.

Usiadłem stolik obok. Kobieta waliła w klawisze, jakby chciała roznieść laptop. Facet popatrywał na mnie z nadzieją. Na mój plecak, na moje ubranie wskazujące obcokrajowca. Kombinował. Ewidentnie zastanawiał się, jak tu ze mną zagadać. A widać było, że bardzo potrzebuje rozmowy.

W końcu wstał i podszedł. I zagadał:

– Niezłe mają tutaj laski na tej Ukrainie, co? – I dodał ciszej, żeby żona nie słyszała: feminizm im jeszcze nie przewrócił w głowach.

Było to tak głupie, żałosne i desperackie, że zrobiło mi się go żal. Zaprosiłem go, by usiadł. A on – cóż – usiadł i rozpoczął swój lament, który można byłoby nazwać bluesem pracownika Korpusu Pokoju.

I raz, i dwa, i trzy, i cztery:

Na imię ma Jack. Jego żona – Ruth. Jack i Ruth pochodzą z Bostonu. Jeszcze niedawno, gdy prowadzili życie typowych amerykańskich członków klasy średniej, obiecywali sobie, że na emeryturze zwiedzą świat. Żona – *oooh, Peace Corps worker's blues* – marzyła, że będzie pomagała ludziom w obcych krainach, o których do tej pory mgliste mieli jedynie wyobrażenie.

Gdy więc przeszli na emeryturę – a tak się składa, że zarówno on, jak i ona, prawda, w tym samym roku, podjęli decyzję: zaciągną się do Korpusu Pokoju. *Oooh, Peace Corps worker's blues.*

Żona – jak prawie każdy w Ameryce w pewnym momencie swojego życia – zaczęła kopać w swoim pochodzeniu, ciekawa, jakie też są jej europejskie korzenie. Wszystkie ślady przodków były dość nudne – prowadziły do Anglii, Szkocji, Irlandii, Niemiec – oprócz jednego: wiodącego na Ukrainę. *Oooh, Peace Corps worker's blues.*

Podpisali kontrakt na dwa lata. Wiedzieli tylko, że pojadą gdzieś na Ukrainę. Tak to wygląda w Korpusie Pokoju – do końca nie wiadomo, dokąd skierują. Marzyła im się Odessa, a on – w kwestionariuszu – napisał, że pracował w firmie, która zajmowała się logistyką załadunku statków. Dlatego chciałby jechać z żoną do miasta nad morzem. Może się przyda w jakimś porcie. Jako doradca albo coś. Wytłumaczy ludom Wschodu, jak się w Ameryce robi *fuckin'* logistykę załadunku statków. Siedzieli więc na walizkach i czekali na decyzję o Odessie. *Oooh, Peace Corps worker's blues.* Ale przewrotny los w postaci jakiegoś złośliwego urzędnika rzucił ich do Izmaiła.

– Macie, co chcecie – mówił urzędnik. – Ukraina, morze niedaleko. Proszę bardzo.

Jack smutno patrzył mi w oczy, a ja zerkałem na jego żonę roznoszącą laptop w pył.

– Na dwa lata? – spytałem.

– Na dwa lata – odpowiedział i przez chwilę milczeliśmy. Słychać było tylko rosyjskie disco i stukot klawiszy.

– A ile już odbębniliście?

– Dwa tygodnie.

Oooh, Peace Corps worker's blues.

– No i co? – spytałem, odpalając papierosa. – Działacie jakoś? Coś z morzem?

Facet spojrzał na stolik, znalazł plamę rozlanego piwa. Umoczył w niej palec, zaczął rysować na stoliku esy-floresy.

– No, powiedz mu, Jack – odezwała się nagle żona zza laptopa. – Powiedz.

– T-tta. – Powiedział Jack. – Parę dni temu... zabraliśmy dzieci z jednej klasy w podstawówce nad morze. I posprzątaliśmy plażę. Z butelek i takich tam.

– Z kondomów – usłyszeliśmy znad laptopa.

– I z kondomów – posłusznie potwierdził Jack. – Ale to nie tak, że nam się nie podoba – podjął szybko. – Miasto jest... miłe. Jest... spokojne. Niewiele się dzieje, ale to... w naszym wieku... atut. Jest... hm... ciepło. Przyjemnie. Do Odessy nie jest tak daleko... – opowiadał, a jego żona napieprzała w laptop, jakby chciała roznieść go na drzazgi.

– To piękne – powiedziałem. – A nie możecie wrócić do Stanów wcześniej? Wiecie, w mało prawdopodobnym razie, gdyby przestało wam się podobać?

– Nie możemy – pokręcił głową Jack. – Kontrakt. Ale nie, nie, nie, słuchaj, tu jest naprawdę fajnie – szybko zaczął terkotać, nakręcając maszynę swojego amerykańskiego pozytywnego podejścia do tematu.

Nawet nie musiałem wymyślać żadnego gonzo.

9. Hardkor kamieniecki

No i znowu chlejemy.

Człowiek myśli, że w podróży będzie miał cholera wie jakie przygody, a i tak zawsze kończy się tak samo.

Wsiedliśmy kiedyś z Korwaksem w autobus do Kamieńca Podolskiego, zobaczyć kresowe stanice i granice, bohaterski wskrzesić czas.

Na awtowokzał w Kamieńcu dojechaliśmy wymięci i niewyspani. Na dworcu, na pomalowanym na biało krawężniku stał siwy facet z tekturką z polskim napisem „kwatery" i zalaminowaną kartką, na której było napisane tak: „JA PIERDOLE ZAJEBISTA MIEJSCÓWA WBIJAJCIE ZIOMY JEST GIT".

– To list polecający. Napisali nam go – powiedział właściciel kwatery, który przedstawił się jako Iwan – nasi szanowni goście z Polski, którzy jakiś czas temu u nas bawili. Mam domek z ogródkiem, niedrogo... chcecie?

– No – powiedziałem – jeśli polecają... Idziemy? – spytałem Korwaksa, a ten pokiwał skwapliwie głową.

Korwaks był fotografem. Razem z podobnymi sobie kolegami łazili po Ukrainie obładowani fotograficznym sprzętem jak armijne tabory: tymi obiektywami na bagnet długimi jak lufy armatnie, tymi statywami składanymi i wysuwanymi jak anteny radiostacji polowych, tymi nakładkami, filtrami, dobudówkami, dokrętkami, nadkrętkami i podkrętkami. I czym tam jeszcze.

I potem rozwijali ten swój fotograficzny kram pod rozwalającymi się chałupami, w błocie u stóp pijaków i cykali im tymi armatami ambitne portretówki. Gięli się przed babuszkami i przez filtry łapali refleksy światła na ich złotych zębach. Fotografowali wybebeszone moskwicze, dzieciaki bawiące się w ruinach kamienic, psy bez zębów, łap, oczu, uszu i ogonów. Zardzewiałe saturatory, perkate baniaki z kwasem chlebowym, przy których siedziały kobiety o wymęczonych, powykręcanych, zgrubiałych stopach. Takie same stopy miały matki Korwaksa i jego kolegów, a już na pewno babki, ale to nie miało żadnego znaczenia, bo tu chodziło o tzw. szerszy kontekst kulturowy.

Słowem – robili to samo, co ja. Robili z Ukrainy burdel na kółkach. Tyle że się do tego nie przyznawali.

Później, w Krakowie, pokazywali te swoje zdjęcia znajomym, czasem coś udało się gdzieś opublikować, i mówili, że owszem: tam, w postsowietii wszystko jest takie straszne i przerażające, ale ci biedni i wspaniali ludzie z Ukrainy, bohaterowie Wschodu, robią, co mogą, by żyć godnie. Czasem robili pokazy zdjęć w knajpach, gdzie przy drewnianych stołach siadywali studenci kulturoznawstwa. I generalnie miłośnicy wschodu. Korwaks i koledzy wyświetlali zdjęcia na ekranach na całą ścianę: sześć, dajmy na to, metrów na – powiedzmy – cztery i pół.

Korwaks i jego koledzy mówili o godności i honorze mieszkańców tego biednego wschodu, a tymczasem tłumnie zgromadzeni kulturoznawcy oglądali na fotce dzieci taplające się w błocie razem ze świniami. Korwaks i jego koledzy mówili, że na wschodzie żyją dumne i mężne narody, a tu cyk: najebana babuszka leży pod przydrożną kapliczką, i to z zadartymi nogami. I wszyscy widzą najebaną babuszkę z zadartymi nogami, a nie dumne i mężne narody. Że to piękni i godni ludzie, twierdził Korwaks z kolegami, o wspaniałej historii i tradycji, a tu cyk: napierdolony jak działo Wasia traktorzysta, morda ogorzała, pet w pysku, za nim rozlatujące się drewniane budy sowchozu i tłumek półzombich dzieci jak z jakiejś nazistowskiej propagandówki.

I cały klub pełen kulturoznawców patrzy na Wasię, nasyca się Wasią, a potem, podczas dyskusji prowadzonej przez Korwaksa i kolegów, mówi o godności Wasi, o jego historii i tradycji. Młode offowe panny robią notatki, ciągną drinki za piętnaście zeta, a potem pały ciągną Korwaksowi i kolegom, aż furczy.

Ja też, oczywiście, patrzyłem na Wasię. I fascynował mnie Wasia tak samo, jak ich wszystkich. Nie jestem inny, wcale nie. Jestem taki sam, jak wszyscy inni. Krew z krwi, kość z kości. I tak samo jak wy wszyscy pragnę chleba i igrzysk.

Oni zresztą, Korwaks i cała reszta fotografów, zdawali sobie sprawę, że coś tu nie gra, i targało nimi coś, co od biedy można by nazwać konfliktem wewnętrznym. A ja współczułem im w ich dramacie.

Był, faktycznie, domek, był i ogródek. Był też drugi domek, barak w zasadzie, w którym mieściły się pokoje gościnne. Szyby były niedopasowane do okien, a drzwi do futryn. Pewnie, że nam się podobało. Zresztą, po jaką cholerę było nam cokolwiek więcej.

A poza tym – przy szerokim i długim stole przed domem w najlepsze trwała impreza. Siedziało tam pięcioro Polaków. Wszyscy między dwudziestką a trzydziestką. Trzech kolesiów i dwie dziewczyny.

Pampaleon i Blumenblau (tak się przedstawili i tak kazali na siebie mówić) przyjechali tu razem. Byli studentami slawistyki z Wrocławia i nosili treki i polary, bo przyjechali na Ukrainę pojeździć po Czarnohorze, na którą jeszcze im się nie udało – póki co – dotrzeć.

Do Kamieńca – mówili – przyjechali wczoraj i tak sobie jakoś siedli, a jak siedli, to i wódkę wyjęli – i tak od wczoraj tę wódkę grzmocą jakoś spokojnie. Wczoraj się popili, poszli spać, rano wstali, klina nalali i jakoś tak życie schodzi. Bez nerwów. Odpoczywają, chłoną.

Gdy tylko usiedliśmy przy stole, ledwie zrzuciwszy plecaki, Pampaleon polał nam od razu po bani do wypicia. Ale największym aplauzem przyjęto pojawienie się właściciela kwatery, zwanego przez zgromadzonych tu polskich podróżników „dziadkiem Iwanem".

– No – perorował po rosyjsku Blumenblau, największy z gromady, brodaty i gigantyczny jak król Herod z jasełek –

teraz już się dziadek, dziadku Iwanie, nie wymówi od picia! Teraz to już trzeba! Teraz to już o Jezus Maria!

Dziadek Iwan coś tam się uśmiechał, coś tam bąkał, że niby jeszcze ma robotę, ale go Blumenblau razem z Pantaleonem, rubasznie rechocąc, posadzili do stołu.

No i się zaczęła gra pod tytułem „upić Ruskiego". Upić Ruskiego, by zdobyć sławę mołojecką w środowisku slawistów. A przepić Ruskiego! To by było dopiero!

Blumenblau i Pantaleon obsiedli dziadka Iwana jak dwie wielkie slawistyczne muchy. Lali mu gorzałę do szklanki, mimo że na stole stały kieliszki, bo jakże to pić z Ruskim z kieliszków. Sami sobie też po szklankach lali. My z Korwaksem popijaliśmy Wigor z kwasem chlebowym i nie chcieliśmy mieszać.

Toast wygłosił Blumenblau, który najpierw głośno domagał się ustanowienia przy stole tamady (był świeżo po lekturze reportaży Góreckiego z Gruzji), a później nie chciał dopuścić nikogo innego do głosu. Zaczął coś bredzić o Hektorze Kamienieckim i obronie Podola przed wspólnym zagrożeniem, ale bardzo szybko się w tym wszystkim totalnie pogubił i zupełnie stracił rezon, bo zakończył pospiesznym „abyśmy tylko zdrowi byli" – i wypito.

Dziadek Iwan nawet nie próbował wypić całej szklanki. Upił jedną czwartą i zakąsił kiełbasą. Pantaleon i Blumenblau próbowali, ale oczy im wyszły z orbit i zaczęli się krztusić. Dziadek podsunął im kiełbasę, a Pantaleon wydusił mężnie, kaszląc i łapiąc powietrze:

– Pa pierwom nie zakuszaju.

Po czym jednak porwał kiełbasę i zakąsił.

Dziadek chciał się powoli zbierać, ale slawiści nie mieli litości. Polali mu znowu i podpytywali: a to czy w wojsku służył, a to czy w oddziałach rakietowych może przypadkiem – i byli bardzo zawiedzeni, że nie w rakietowych. To może chociaż na polskiej granicy w osiemdziesiątym pierwszym? – mieli nadzieję, i przy tym pytaniu nawet się Fecki z KUL-u ożywił, ale okazało się, że i to nie, bo niestety pod Wołgogradem, i to w jednostkach pomocniczych, gdzie głównie łatał asfalt ku chwale radzieckiej ojczyzny. Potem chcieli się jeszcze dowiedzieć, czy ma dziadek mundur z orderami i czapkę wojskową z denkiem XXL, a gdy dziadek poinformował ich, że nie ma, to już dość rozpaczliwie się domagali, by im chociaż zagrał na harmoszce albo na bałałajce. W trakcie tego wszystkiego dziadek musiał wlać w siebie już w sumie z półtorej szklanki i już jego żona-babuszka ze łzami w oczach przychodziła slawistów prosić o litość nad starowiną.

Tyle z tych babcinych lamentów przyszło, że i ją slawiści posadzili za stołem. I tak miała odpuszczone, bo z uwagi na płeć nalano jej do kieliszka, a nie do szklanki. Slawiści wypytywali ją, czy jakich piosenek wesołych nie zna podolskich. I czy jakich legend ludowych by nie opowiedziała. Albo historii kołchozowych ciekawych.

Babcia żadnych nie znała, więc slawiści zaczęli się rozglądać, skąd by tu jeszcze jakich ciekawszych Ruskich do chlania wycisnąć. „Gdzie syn" – wypytywali dziadka i babuszki jak jacyś bolszewiccy komisarze, a babuszka im ze łzami w oczach odpowiadała, że w domu leży, że chory, że coś ma z nerkami, że na zwolnieniu lekarskim z pracy i żeby się ulitować nad nieboraczyną i do picia nie brać. Ale jak się tylko Blumenblau dowiedział, że świeży Ruski na podorędziu, nalał do szklanki wódki i – dawaj! – poleciał z tą szklanką do dziadko-babciowego domu. Po chwili wyszedł stamtąd z synem rozczochranym nieco, bo z drzemki obudzonym, i ze szklanką wódki w dłoni. Do połowy odpitą.

– Z nami on! Z nami weselił się będzie! – krzyczał Blumenblau już od schodów. – Walera mu jest! Walera mu mówcie! Sadities', Walera, cholera! – rechotał.

Dziadek Iwan ukrył twarz w dłoniach, po czym sięgnął po wódkę, nalał sobie i wypił. Zrozumiał, że tylko w ten sposób uda mu się to przetrwać. Babuszka mamrotała modlitwy. Pantaleon uściskał Walerę jak brata i wręczył mu ogórek. Potem wszystko potoczyło się szybko. Blumenblau chciał koniecznie wiedzieć, czy gdzieś w okolicy nie ma przypadkiem jakichś sąsiadów, bo jeśli są, to dobrze by było się wokół nich zakręcić i ich ściągnąć na imprezę. Żeby hardkor był, mówił, wykonując ręką gest rąbania, ruski hardkor.

– Co żeby było? – nie zrozumiał Walera, to mu jeszcze Blumenblau nalał. I go zaczął wypytywać, czy tu korupcja duża w okolicy, czy milicjanci łapówki biorą, czy – na przykład – piją wódkę podczas prowadzenia radiowozu, czy biją pałkami obywateli, czy może na przykład gwałcą tymi pałkami, czy, generalnie, nadużywają władzy jakoś efektownie, czy granatami – na przykład – obrzucają złodziei.

Syn powiedział, że brać, to biorą, ale granatów nie noszą.

Slawiści, widać było, jacyś niekontenci byli. Jakoś mało ruscy im się ci Ruscy wydawali. Zaczęli więc pytać, czy kto aby kazaczoka nie tańczy, wrócił temat harmoszki, później chcieli koniecznie rozmawiać o duchowości i prawosławiu, a po czwartej szklance zaczęli czkać i kiwać głowami nad stołem. Dziadek Iwan palił papierosy jak smok, jednego za drugim, i też już ledwo jarzył, co się dzieje. Syn poszedł się odlać i nie wrócił. Babuszka, wykorzystując niezorientowanie slawistów, którzy byli już bliscy delirium, wywlekła dziadka Iwana od stołu, i choć trochę protestował, upchała go do domu. Chwilę później slawiści, jeden po drugim, trysnęli na ceratę wymiocinami, zalewając wszystko – szklanki, anszusy, kieliszki, chleb, ogórki, flaszki, własne kolana i ręce.

Poszliśmy więc z Korwaksem zobaczyć stare miasto. Można było się tam dostać wyłącznie mostem: stary Kamieniec położony był na czymś w rodzaju śródlądowej wyspy: okalał go głęboki kanion rzeki Smotrycz. Gdyby można go było zobaczyć w pełnym słońcu, wyglądałby jak coś w rodzaju mocno rozbudowanego zamczyska na urwisku. Ale była noc i w ogóle go nie było widać. Kamieniec był zupełnie nieoświetlony. W absolutnej, czarnej pustce świecił tylko krąg zegara na ratuszowej wieży. A nad zegarem wisiał księżyc w pełni. Tak więc księżyc miał kolegę i teraz było ich dwóch. To był obrazek z ilustracji w taniej książce typu *heroic fantasy*. Czułem się jak na jakiejś obcej planecie z dwoma satelitami, jak na Marsie z Burroughsa, pod Deimosem i Fobosem.

A most – most! Był co prawda oświetlony, ale tylko do połowy. To był półmost. Prowadził po prostu w czerń. W nicość. W pustkę. Po kilkudziesięciu metrach urywało się widzialne. Dalej sunt *dracones* i Cthulu.

Weszliśmy na most. Szliśmy przez absolutną ciemność, nad którą wisiały tylko gwiazdy. Świeciliśmy sobie ekranikami komórek. Po jakimś czasie poczułem pod stopami bruk starego miasta, ale nic nadal nie było widać. Co kilka minut rozlegał się warkot samochodu i reflektory wyrywały z ciemności kawały rzeczywistości, jakby kawały mięcha wyrywały. I tyle widzieliśmy tej rzeczywistości, ile te reflektory wyrwały. Jakiś bruk podziabany, jakieś ściany połupanych kamienic, jakiś okap od czasu do czasu. Nie mogłem w to uwierzyć. Ani połowy ulicznej latarni. Ani poświaty z okna. Nic. Jakby życie na Ziemi wymarło, a wszystko, co zbudował człowiek, zrównało się z innymi budowlami wzniesionymi przez – przecież – naturę. Z opuszczonymi kopcami termitów, mrowiskami, gniazdami ptaków i os.

Chodziliśmy jak ślepcy w labiryncie, aż nagle usłyszeliśmy muzykę. Dyskotekowe jebudubu, które w normalnych warunkach pewnie by nas od razu odrzuciło, ale brodząc w tej smole, wśród tych czarnych ruin, poszliśmy za nią instynktownie jak myszy za hamelneńskim flecistą. Bo to była jednak manifestacja jakiejś cywilizacji, jakiejkolwiek, choćby podłej. Czuliśmy się trochę zagubieni, jak wędrowcy w buszu, którzy – słysząc ludzkie głosy – idą ku obozowisku, choćby ich tam miano posiekać i ugotować w kotle. Ale szliśmy.

10. Radziecka Socjalistyczna Republika Edenu

W Symferopolu czułem się jak w Indiach. Ta sama nieumiejętność radzenia sobie z przestrzenią, bo ta stworzona była przez kogoś zupełnie innego od tych, którzy obecnie z niej korzystali. I egzotyka, która biła z każdej strony tego miejsca. I rajskość. Znałem tę rzeczywistość z zamazanej młodości, z czasów, gdy w poniedziałki rano, w peerelowskim jeszcze telewizorze, wyświetlano radzieckie filmy. To właśnie w nich można było oglądać tych szczęśliwych taryfiarzy siedzących na składanych stołeczkach obok swoich moskwiczów i plujących pod nogi łupinami ze słonecznika. Albo tych socjalistycznych inteligentów, moich ulubionych przedstawicieli Radziecji – chudych, w koszulach z krótkim rękawem wsuniętych w brązowe spodnie, w emeryckich sandałach na beżowe skarpety, w okularach w rogowej oprawie. Albo te sprzedawczynie kwasu chlebowego, siedzące przy swoich metalowych, malowanych na żółto cysternach z kranikami i rozwiązujące krzyżówki. Wszystko to już kiedyś gdzieś widziałem.

Powietrze było żółte i gęste, zieleń – nasycona, jakby ktoś ją podkręcił w photoshopie. Cała ta rzeczywistość rozpadała się, osypywała w gruzy, ale wszyscy żyli w tych ruinach szczęśliwie, przynajmniej tak to wyglądało. Jakby czerpali skądś jakąś dziwaczną pewność, że Ktoś, jakaś Wyższa Istota to wszystko kiedyś za nich naprawi – wyremontuje kamienice, załata dziury w chodnikach i jezdniach, zaklajstruje pęknięcia. To nieprawda, że komunizm był ideologią ateistyczną. Owszem, doktryna zakładała, że żadnego boga w niebie nie ma, ale obywatele komunistycznego świata jednak wierzyli w coś w rodzaju boga. Tyle że ziemskiego. Który reguluje wszystkie dzienne sprawy. Że bożysko to było niewydolne – to inna rzecz. Ale istniało. To znaczy – wtedy istniało. Bo w końcu zadławiło się własnymi wymiocinami jak Bon Scott z AC/DC i Jimi Hendrix. I umarło.

Tamtą podróż pamiętam jak przez sen. W Symferopolu kupiłem bilet na elektriczkę do Bakczysaraju. Siedziałem na drewnianej ławce i patrzyłem przez okno na zagracony step, który po niedługim czasie zmienił się w pofałdowany krajobraz z łagodnymi górami. Wyglądały te góry tak, jakby ktoś je poprzecinał nożem, a ich zawartość rozsypała się na ziemię.

W elektriczce jacyś kolesie grali na gitarach. Na każdym przystanku stały babuszki, które handlowały czeburakami smażonymi w głębokim, obrzydliwym, starym oleju. Po pociągu wędrowali wędrowni sprzedawcy piwa. Unikałem grup polskich plecakowców, którzy łazili po pociągu naspidowani Wigorem i polowali na Ruskich, którzy chcieliby się z nimi napić. Oni też mnie unikali.

Bilety sprawdzała Tatarka w mundurze i w czapce z logiem ukraińskiego pekapu. Miała skośne oczy i policzki jak bułeczki. Jej przodkowie palili wsie, brali w jasyr, co tam w jasyr, jej przodkowie na małych konikach, z surowym mięsem pod siodłami, obalali cywilizacje w imię Wielkiego Stepu, w imię Trawiastego Nic, a ona, jak gdyby nigdy nic, chodziła po wagonie i sprawdzała bilety pasażerom elektriczki relacji Symferopol–Bakczysaraj. Sic, kurwa, transit gloria mundi, myślałem, podając jej bilet do skasowania.

Ale to była Tatarka tylko z zewnątrz. Widziałem to. W środku była *ruska*. Obsztorcowała fachowo jakiegoś faceta, któremu przy otwieraniu kapsla ulało się na podłogę trochę piwa. W ogóle cały czas wyglądała na obrażoną i chodziła po wagonie tak, jakby chciała komuś wpierdol spuścić. Wszyscy unikali jej wzroku i grzecznie podawali bilety. Zrobiłem jej zdjęcie i wsiadła na mnie jak na burą sukę. Krzyczała, że jest urzędniczką państwową, a fotografowanie urzędników państwowych to prawie to samo, co fotografowanie budynków użyteczności publicznej, i że to ściśle i bezwarunkowo zakazane jako zdrada stanu, i karane odpowiednio do wagi przestępstwa. Udawałem, że nic nie rozumiem i uśmiechałem się jak kretyn. Jak uczył mistrz Ryszard.

W końcu przestała się drzeć, po prostu – ot tak, nagle się uspokoiła i poszła w dalszą drogę.

Sąsiad, który ulał browar na podłogę, mrugnął do mnie okiem i poczęstował łykiem. Piwo było ciepłe. Był chudy, łysy i wysoki i miał na imię Dima. Kiedyś, mówił, był w Polsce. Sprowadzał samochody z Niemiec, no i nasz piękny kraj, opowiadał, stał mu na drodze. Polskie drogi i polska policja dały mu w dupę tak mocno, że przez dłuższy czas nienawidził wszystkiego, co miało jakikolwiek związek z Polską, w tym

Anny German i *Czterech pancernych*. Ale potem mu przeszło. W końcu był internacjonalistą i komunistą z przekonania i wyznawał teorię, że przeciętny człowiek nie winien, że urodził się jako Polak, i że rządzą nim takie kurwy, które do policji zatrudniają inne kurwy, na własny zresztą obraz i podobieństwo. Generalnie – snuł opowieść Dima – już w samej instytucji polskości jest coś niewymownie złowrogiego. Coś, co nienawidzi Rosjan i Rosji, co nienawidzi Słowiańszczyzny, a przecież – wywodził Dima – Polska to też Słowiańszczyzna, wychodzi więc na to, że Polska sama siebie nienawidzi. W polskości Dima widział jad i nieszczerość, ciągłe knucie i kopanie dołków. – Nacjonalizm – wzdychał i dawał mi łyka. Brałem i też wzdychałem. Pokazał mi, gdzie mam wysiąść, pożegnał jak brata i powiedział, że dałby mi całe piwo na drogę, ale sam ma tylko dwa, a tu jeszcze ponad godzina jazdy do Sewastopola.

W Bakczysaraju, gdy tylko wysiadłem, dostałem po pysku upałem. Jakby ktoś mnie gorącą ścierą zamalował. Ale popękany beton peronu i bielone krawężniki działały na mnie kojąco. Chciało mi się głośno krzyczeć ze szczęścia. Babuszka, która podeszła z kartką, że ma kwatery na wynajem, musiała kiedyś być śliczna. Było w niej coś wzruszającego. Powiedziałem, że pójdę z nią choćby na koniec świata, a ona spytała, ile nas jest i na ile nocy. Odpowiedziałem, że jest mnie jeden, a co do nocy, to nie wiem, ale raczej nie za dużo. Bez słowa zostawiła mnie na peronie i podeszła z karteczką do grupy polskich plecakowców, którzy właśnie wygrużali się z wagonu.

Kolejna babuszka jednak się na mnie zdecydowała. Przez cała drogę na kwaterę jojczyła, że inne babuszki od kwater są złe, bo podbierają jej wszystkich klientów. Że się zmówiły przeciwko niej. Pewnie dlatego, wywodziła, że ma najlepszą kwaterę w całym Bakczysaraju. Co tam w Bakczysaraju – na Krymie całym! Słuchałem jej jednym uchem, bo podziwiałem okolicę. Przykurzone marszruciny stojące zad przy zadzie na majdanie pod dworcem. Chłopaki w dresach i klapkach drapiący się po jajach przed kawiarenką internetową. Panny starające się nie złamać tykowatych obcasów na tym niesamowitym koktajlu gruzu, zaschniętego błota i kamyków, który uparł się, że będzie udawał ulice i chodniki. Spytałem, czy daleko do centrum, na co babuszka odparła zdecydowanie, że centrum to jest tam, gdzie ona mieszka, bo to dokładnie pomiędzy dworcem kolejowym a autobusowym. Opowiadała o tym swoim idealnym położeniu między dworcami, jakby chodziło o jakąś kosmiczną harmonię, o centrum Wszechświata, w którym panuje wszechporządek wszechrzeczy i niebiańskie ukojenie. Tam natomiast, mówiła, gdzie wszyscy mylnie sytuują centrum miasta, czyli w starym mieście – tak naprawdę nic nie ma. Tylko stare miasto. Dlatego, wywodziła, we wszystkich przewodnikach po Krymie powielony jest ten sam idiotyczny błąd. Że centrum nie jest w centrum. I że jeśli będę miał kiedyś możliwość, to żebym wpłynął na odpowiednie osoby i doprowadził do zmiany tego błędnego stanu rzeczy. Żebym list napisał albo co.

Dostałem pokój w domu babuszki. Żył tam, oprócz niej, dziadek. Oraz syn dziadka i babuszki – Nikołaj. Babuszka, jak się okazało, była Ukrainką i dziadek mówił do niej „Chachłaczka". Dziadek był Rosjaninem i babuszka mówiła na niego „Kacap". Syn miał swoją tożsamość w dupie. To znaczy, twierdził, generalnie jest z niego Ruski, ale nie w sensie, że od razu Rosjanin, że Federacja, Moskwa, Kreml i tak dalej. Ukrainiec też nie jest. Ot tak, wywodził, normalnie – Ruski jestem i tyle. Jak wszyscy.

Było cudownie. W sadzie było gęsto jak w dżungli. Przed domem rosły pomidory i ogórki. Na podwórzu było pełno wszystkiego. Jak na starym strychu. Zardzewiałe części od samochodu, jakieś deski, żelastwo, cholera wie co. Wyglądało to tak, jakby można było z tego skonstruować armię przerdzewiałych robotów i podbić świat. Obłaziły to wszystko koty. Naprawdę obłaziły, jak włochate i ruchliwe larwy, bo było ich mnóstwo.

Zostawiłem plecak, umyłem się w dziwnej prysznicoidalnej konstrukcji, którą Nikołaj z ojcem postawili w ogrodzie, i wyszedłem w brzęczącą ciszę. Dom babci Chachłaczki, dziadka Kacapa i Nikołaja stał w bardzo sielskiej okolicy. Domy sąsiadów były do niego podobne. Wszystkie otaczały podobne ogrody, kipiące zielenią i rupieciami. Szosy nie było, latarń też. Wyboista dróżka pomiędzy płotami prowadziła do asfaltowej drogi na Sewastopol. Powietrze drżało z gorąca. Zanurzyłem się w nim jak w miodzie.

To było coś niesamowitego. Bakczysaraj był jak kawałek Azji Środkowej, wycięty z niej (CTRL+C) i wklejony (CTRL+V) w – było nie było – europejską rzeczywistość. Stałem na urwisku i patrzyłem na miasto jeżące się w dole minaretami, kłębiące wąskimi uliczkami. Tutaj się lęgli, myślałem, Tatarzy. To stąd wyjeżdżali palić i rabować. Gwałcić pewnie też, choć jak oni sobie radzili z gwałceniem po kilkunastu dniach w siodle, to nie miałem pojęcia.

Z bliska stare miasto wyglądało nieco inaczej. Radzieckość na pełnej szybkości wbiła się tutaj w islamską estetykę i obnażyła ją do ścięgien. Była to radosna słowiańska rozjebka nałożona na orientalny szkielet miasta. Domy miały kształty przeróżne – co kto akurat miał pod ręką, gdy dobudowywał jakiś pokój, przybudówkę, czy gdy podnosił dach. Budowle nagniatały się na siebie, piętrzyły, wzbierały, wdzierały na wzgórza. Wąską ulicą, zobaczyłem, galopował facet na koniu. Na oklep. Miał na sobie jedynie spodnie. Był boso i bez koszulki. Wyglądał na kompletnie pijanego. Minął mnie i zniknął za zakrętem.

Przed pałacem chanów Tatarki i Rosjanki sprzedawały słodycze. Siedziały w kwiecistych podomkach i tylko rysy twarzy je odróżniały. Pytlowały jedna przez drugą. Jakieś Polki w japonkach siedziały na ogrodzeniu mauzoleum Dilary Bikecz, która według Puszkina i Mickiewicza była Polką uprowadzoną w jasyr przez Tatarów. Miał się w niej zakochać chan i wziąć za żonę. Jedna z nich trzymała na kolanach *Sonety krymskie* i drżącym głosem deklamowała: „W kraju wiosny, pomiędzy rozkosznymi sady, / Uwiędłaś, młoda różo! bo przeszłości chwile, / Ulatując od ciebie jak złote motyle, / Rzuciły w głębi serca pamiątek owady…".

Druga zaczęła chlipać i gładzić murek, na którym siedziała.

– „Tam na północ ku Polsce świecą gwiazd gromady – deklamowała tymczasem egzaltowana panna, bliska płaczu. – Dlaczegoż na tej drodze błyszczy się ich tyle? / Czy wzrok twój ognia pełen, nim zgasnął w mogile, / Tam wiecznie lecąc jasne powypalał ślady?".

Patrzyłem i nie wierzyłem własnym oczom.

– „Polko! – zawyła egzaltowana, a jej koleżanka wyżywała swoją czułość na murku – i ja dni skończę w samotnej żałobie; / Tu niech mi garstkę ziemi dłoń przyjazna rzuci./ Podróżni często przy twym rozmawiają grobie...".

Obok kucał sobie stary Tatar i pasł kozy. Przyglądał się dziewczynom z zainteresowaniem. Na ziemi obok niego leżała otwarta książka. To był Dan Brown, *Kod Leonarda da Vinci*.

Wracałem na kwaterę okrężną drogą, klucząc i gubiąc się. Stadion Drużby Bakczysaraj zarastał zielskiem i pękał, dokładnie tak samo, jak w filmie pod tytułem *Świat bez nas*. Wyglądało to jak jakaś socjalistyczna i prowincjonalna wersja antycznych ruin. Podobno Speer z Hitlerem, obmyślając swoje nazistowskie gigabudowle, brali pod uwagę Ruinenwert, czyli to, jak te budowle będą wyglądały za tysiąc lat, w formie ruin. Być może socjalistyczni architekci, którzy – jak wszyscy inni w Europie Środkowej i Wschodniej – w głębi duszy w pewien perwersyjny sposób podziwiali Niemców, też to brali pod uwagę. Tak to wyglądało w każdym razie. Przez szczelinę między dwoma skrzydłami bramy wślizgnąłem się do środka i wyszedłem na murawę. Trawa sięgała mi po pas. To był dopiero, kurwa, suchego przestwór oceanu. No dobrze, może stawu. Na zawalonych trybunach chłopaki pili wódkę i gapili się na mnie, osłaniając dłońmi oczy od słońca. Pomachałem im, a oni – niechętnie, ociągając się – wstali i zaczęli schodzić w moją stronę, żeby dopełnić odwiecznego obowiązku i mi wpierdolić. Wycofałem się wydeptaną wcześniej ścieżką. Za stadionową bramę nie chciało im się już wychodzić.

Siedzieliśmy z Nikołajem za stołem ustawionym na podwórzu i popijaliśmy samogon z winogron, który pędził sąsiad, pan Wasia. Pan Wasia, jak się dowiedziałem, był inżynierem w tutejszej elektrowni. W ogóle wszyscy tu byli inżynierami. Trochę jak w Atomicach. Dziadek Kacap był inżynierem, babcia Chachłaczka też. To było osiedle inżynierów. Nie wierzyłem własnym uszom. Ta wiocha bez asfaltu, te rozpiżdżone ogrody – to było osiedle inżynierskie? – Tak – odpowiadał Nikołaj. – Tu wszyscy inżyniery. A domy podostawali od elektrowni. Komunizm to był dobry system. Nie zauważyłeś, że wszystkie takie same?

– Zauważyłem – uzmysłowiłem sobie ze zdziwieniem. – Ty też inżynier?

Nikołaj westchnął.

– No nie bardzo – powiedział. – Rodzice gonili, ale mnie się uczyć nie chciało. W Jałcie – powiedział – w hotelu pracowałem. Złote czasy były kiedyś. Wydawałem sprzęt rekreacyjny.

– A to taka kasa z tego była? – spytałem. – To co to był za sprzęt?

– No, rekreacyjny, normalny – odparł. – Gościom hotelowym wydawałem. Koce do leżenia na plaży, ręczniki, leżaki, te takie styropianowe deseczki do nauki pływania, czepki na basen. Trick polegał na tym – zaświeciło mu się oko – że to wszystko było darmowe. A my tego gościom nie mówiliśmy i braliśmy za to kasę. Wiesz, ile można było wyciągnąć? Bracie. To się tylko wydaje, że mało, ale jak to wszystko do siebie dodasz...

– No i co – spytałem, upijając bimbru – czemu się skończyło?

– A – machnął ręką – „nowe czasy", kurwa. Nowy szef przyszedł, i – kutas – kamery pomontował, w ogóle nie do życia chuj złamany. Zakazał, no. To odszedłem z pracy. Za taką marną pensję to już wolę nic nie robić.

Księżyc wytoczył się na niebo tak wielki, pełny i okrągły, jakby spuchł.

– To z czego żyjesz? – zapytałem.

– Z ciebie – odpowiedział. – Strasznie was tu dużo przyjeżdża. Znaczy Polaków. Powiedz mi – zaciągnął się Nikołaj papierosem – dlaczego akurat was? Nie Niemców, nie Amerykanów, nie wiem, kurwa, Czechów – tylko was?

– Pamięć materiału – odpowiedziałem.

– Co? – spytał.

– Pamięć materiału. Spytaj rodziców inżynierów, to ci powiedzą.

– Nie wkurwiaj mnie – Nikołaj polał wódki. – Mów.

– Słyszałeś o Polsce od morza do morza?

Nikołaj łypnął znad kieliszka, roześmiał się.

– Znaczy, co – spytał wesoło – wy tu na podbój przyjeżdżacie, czy jak?

Wzruszyłem ramionami.

– Nie wiem. Chodzi chyba o to, że jesteśmy ostatnim romantycznym narodem w Europie – odpowiedziałem.

– Pojebanym – odrzekł na to Nikołaj. – Ja rozumiem: przyjechać nad morze, posiedzieć w hotelu, pokąpać się, poodpoczywać. Ale, kurwa, jeździć tymi pociągami bez sensu z miejsca na miejsce, z tymi ciężkimi plecakami, łazić po jakichś opłotkach... Tak to – zawyrokował – żadnej Polski od morza do morza nie wyłazicie. Zdrowie.

Na drugi dzień poszedłem do Czufut-Kale, skalnego miasta wykutego cholera wie kiedy, przez cholera wie jaką starożytną rasę, a zamieszkiwanego w ciągu długiej historii między innymi przez Tatarów i Karaimów. Szedłem przez skwar jak przez wrzący olej. Pod monastyrem Uspienskim siedzieli na schodach klerycy z długimi brodami i kopcili szlugi. Kawałek dalej zobaczyłem coś niesamowitego. Ziła, którego przednie koła stały na pniakach. Ale nie było tak, że pod jednym kołem jeden pniak: pod każdym było ich po kilka i ził stał pod kątem czterdziestu pięciu stopni. Na jego pace był zamontowany dźwig. Chodziło o to, by ten dźwig sięgał na zbocze góry, na które ładował towary. Cała ta konstrukcja była tak niepojęcie rachityczna, trzymała się tak na słowo boże, że wyjąłem aparat i cyknąłem fotkę. Robotnicy uśmiechali się półgębkiem. Ty co, spytał jeden, brodaty, pierwszy raz takie coś widzisz, co? A jak, spytałem, podnieśliście tego ziła, żeby powsadzać tam te pieńki? Na dźwigu, odpowiedział brodaty. Jak na dźwigu, zapytałem, przecież dźwig na zile. A wtedy brodaty pociągnął się za włosy na głowie. Jak Munchausen z bagna, kojarzysz Munchausena? – spytał. Kojarzę, odpowiedziałem i poszedłem dalej.

Kończył się asfalt i zaczynała gruntówka. Turystki z Rosji i Ukrainy maszerowały pod ostrą górę w szpilkach. Jak na bal, z torebeczkami w których zmieścić się mógł ewentualnie pilnik do paznokci i kilka banknotów zwiniętych w ruloniki. Niektóre miały bluzeczki z cekinów, inne – koafiury układane, tak na oko, kilka godzin każdego ranka przed lustrem. Musiały, myślałem, wstać w środku nocy, żeby je ułożyć.

Opodal wejścia do Czufut-Kale stał sobie namiot. Siedziało przed nim kilku – na oko – studentów. Pili piwo, rozwaleni na trawie. Kawałek dalej ziało wejście do jakiejś groty.

– Kolego – zawołali mnie studenci – chcesz zobaczyć starożytności?

– Jakie starożytności? – zainteresowałem się.

– No – powiedział jeden ze studentów, wyglądało na to, że ich herszt – starożytności. Starożytną jaskinię czy tam co.

– Na ciężki chuj mi – spytałem – starożytna jaskinia? Każda jaskinia jest starożytna.

– Jak chcesz – wzruszył herszt studencki ramionami. – Ale tam są starożytne piktogramy. I w ogóle.

– A wy co – chciałem wiedzieć – jesteście pracownikami parku narodowego? Muzeum? Czy kto tam zarządza waszą jaskinią?

– Nie – pokręcił głową harnaś – jesteśmy studentami ekonomii z Symferopola.

Na te słowa pozostali zasalutowali mi butelkami browaru.

– Dawaj, kolego – powiedział hetman studencki – tylko pięć hrywien. Na piwo.

– No to może ja wam pokażę jaskinię – wzruszyłem ramionami. – Za cztery hrywny. Tak samo mogę.

– A, spierdalaj – odpowiedział herszt i poszedł w stronę braci studenckiej rozwalonej w cieniu namiotu.

– No dobra – rzuciłem, sam siebie zaskakując. Harnaś stanął i patrzył wyczekująco. – Pokażcie te piktogramy.

Dałem hersztowi piątkę. Wziął i poprowadził mnie za namiot. Faktycznie, była tam dziura w skale.

– Właź – powiedział.

– Za tobą – mruknąłem, wyobrażając sobie trupy turystów zalegające w starożytnej jaskini od stalagmitów po stalaktyty. Herszt spojrzał na mnie zimno i wszedł, zapalając latarkę, którą wyjął z kieszeni krótkich spodni.

Jaskinia była jak jaskinia. Nic specjalnego tu nie widziałem.

– No i co? – spytałem herszta.

– No i nic – odpowiedział. – Starożytna jaskinia, co chcesz.

– No kurwa, stary – machnąłem ręką – no ale co to było, nie wiem, kto tu żył, Goci? Taurowie? Nie wiem, kurwa, Scytowie?

– Goci, Taurowie i Scytowie razem – zdenerwował się. – A skąd ja mam, kurwa, wiedzieć? Studiuję ekonomię a nie archeologię. Indiana Jones się znalazł, kurwa.

– No a te piktogramy? – spytałem z rezygnacją.

– A, piktogramy – ucieszył się harnaś – o, proszę. Są.

Skierował światło latarki na sufit. W plamie światła zobaczyłem koślawo wykopcone płomieniem świecy znaki, które przypominały nieco runy bardzo pijanych Wikingów. Na końcu wykopconego rzędu runoidów dumnie widniał międzynarodowo rozpoznawalny piktogram chuja.

Moskwianki, rostowianki, charkowianki i inne skakały w tych szpilkach po skałach Czufut-Kale jak kozice. Prężyły się do obiektywów, jakby każda z nich była aktorką porno. Ich chłopaki byli po gangstersku powściągliwi i oszczędni w ruchach. Sznyt to sznyt. Chodziłem po tym skalnym mieście i chłonąłem, bo to było po prostu piękne. Mieli gust, ktokolwiek to wybudował. Przed kenesą karaimską stała stara, popękana, marmurowa tablica. Wychwalała dobrego cara Aleksandra. Nad cyrylicą, całą w wywijasach, widniał dwugłowy orzeł. Usiany był godłami ziem Imperium. Polskiego orła miał na lewym skrzydle.

– To o naszym carze – szepnęła młoda matka w szpilkach do trzymanego za rękę dziesięciolatka – o carze Aleksandrze. Zapamiętaj.

Pierwszy raz usłyszałem, że ktoś mówi o carze „nasz" i bardzo mnie dziwiło, że to jest takie odruchowe, naturalne i niewinne.

Wracałem w nocy, pijany. Spotkałem jakichś Polaków i razem urżnęliśmy się w tatarskiej knajpie niedaleko wylotówki na Sewastopol. Byli z Gdańska i przyjechali tu łazić po górach.

A potem wracałem. Światła nie było. Księżyca nie było. Nic nie było widać. Zupełnie nic. Szedłem na pamięć. Czasem tylko majaczyły grupy czarnych sylwetek siedzących w kucki. W takie noce jak wtedy pojmowałem, dlaczego noc budziła w ludziach takie przerażenie. Dlaczego zaludniali niewidzialne potworami. Szedłem przez czarną nicość, przez Kosmos – bo przecież ta czerń była częścią czerni Kosmosu, od Bakczysaraju po Alfa Centauri, Andromedę i dalej, dalej, do końca Wszechświata, za horyzont zdarzeń. I rozumiałem, że nicość wcale nie jest biała. Że ta pieprzona kartka papieru zawsze nas oszukiwała.

Na drugi dzień, co dziwne, obudziłem się bez kaca. Pożegnałem się z Nikołajem, Kacapem i Chachłaczką i posnułem na dworzec. Przez okna elektriczki patrzyłem, jak krajobraz staje się śródziemnomorski. Włoski. Oliwkowozielone łagodne wzgórza. Pinie. To były Włochy, ale radzieckie. Poradzieckie. To były Włochy zabudowane osiedlami z płyty i pustaków. Historia alternatywna w całej rozciągłości. Dojeżdżaliśmy do Sewastopola.

W porcie wojennym rdzewiała radziecka flota. Oglądałem ją razem z Heike, Niemką z Kolonii, która planowała snuć się z plecakiem z Niemiec aż po Władywostok. Spotkałem ją na dworcu, gdzie bezskutecznie próbowała rozpytać się o drogę do centrum. Nie znała rosyjskiego, a po angielsku nikt nie mówił. Postanowiliśmy, że miasto zobaczymy razem.

– Więc to tego się baliśmy przez całe te pięćdziesiąt lat – Heike patrzyła na zardzewiałą Flotę Czarnomorską bujającą się na łagodnych falach i nie mogła się nadziwić – tej kupie złomu! Niewiarygodne.

Robiła zdjęcie za zdjęciem. Nikt jej słowa nie mówił, że nie wolno czy że zakazane. Po porcie snuli się jacyś oficerowie, patrzyli na obcokrajowców fotografujących perłę w koronie radzieckiej armii i miałem wrażenie, że w ich twarzach jest coś z zażenowania, coś przepraszającego. Szeregowi matrosi siedzieli rządkiem na ławce. Wyglądali jak przebierańcy, jak statyści czekający na klaps w gejowskim teledysku – te czarne, rozszerzane spodnie, białe bluzy z marynarskimi kołnierzami, czapki z napisem „Czernomorskij Fłot" na otoku. Podeszliśmy, żeby pogadać. To znaczy – Heike chciała gadać. Ja się zgodziłem potłumaczyć. Nigdy nie pojmowałem tej obsesji gadania z lokalnymi. Czasem, znaczy, można słowo zamienić, ale co oni w gruncie rzeczy mogą powiedzieć ponad to, co i tak widać. Wiadomo, że życie ciężkie, że kasy nie ma, że z robotą krucho, że burdel w kraju, że to i tamto. Ale Heike chciała. No i dowiedziała się, że burdel, że ciężko, że kasy nie ma, i że do domu daleko, bo to byli Rosjanie. Dali nam pocztówki do dziewczyn i poprosili o wysłanie, bo im nie wolno opuszczać terenu portu. Idąc do skrzynki, czytaliśmy te pocztówki. To znaczy – ja czytałem. Na głos. Były do bólu takie, jakie powinny być pocztówki chłopaków z wojska do dziewczyn. Że tęsknią i kilka zawoalowanych erotycznych sugestii. Wsjo.

W ruinach Chersonezu Taurydzkiego, tam, gdzie Włodzimierz kniaź brał chrzest od Greków, gdzie się zaczęła historia Trzeciego Rzymu, gdzie prawosławna Ruś się zaczęła, gdzie ruskie zetknęło się ze starożytnym – impreza trwała, że ho-ho. Pomiędzy rozpieprzonymi murami starożytnego miasta walały się szkła po szampanskoje igristoje, kiepy po papierosach, psie i człowiecze kupy. Słowiańskie pary siedziały w antycznych gruzach, obejmowały się i patrzyły w morze.

I Heike, Germanka. Była niska, czarnowłosa i wyglądała bardziej na Węgierkę niż na Niemkę. Od biedy na Francuzkę. Spacerowaliśmy tymi krymskimi Pompejami i uczyłem Heike podstawowych rosyjskich słów. Bawiła się nimi, twierdziła, że fajnie okręcają się jej wokół języka. Z lubością powtarzała słówka „kanieczna" i „kak żywiosz", ale jej ulubionym słówkiem było „kacziestwa". Ja też je lubiłem.

Długo przed Słowianami byli tu, na Krymie, tajemniczy Taurowie, którzy helleńskim jeńcom rozbijali głowy maczugami, a później im te głowy obcinali i wbijali na pale przed domami, żeby domów jak psy strzegły.

Później byli tu równie tajemniczy Kimerowie, od których Robert Erwin Howard wywiódł ród Conana.

Później – a co – Scytowie, jeszcze później – Grecy, Rzymianie, Chazarowie, dalej Grecy, tyle że tym razem jako Romajowie, bo z Bizancjum. Później Włosi z Genui, Tatarzy, a w końcu – oni. Słowianie. My. Oni. Jakoś tam my. Ale jednak nie my. Oni. Nie wiedziałem, sam nie wiedziałem. Ale czułem, że jednak oni.

– Powiedz mi – spytała w pewnym momencie Heike – po co wy tu przyjeżdżacie?

My też, tak samo jak inni, siedzieliśmy w tych ruinach, na starożytnych kamieniach i też piliśmy, patrząc w morze.

– Kto „wy"? – zapytałem.

– No wy, Polacy. Co tu spotykam kogoś z plecakiem, to Polak.

– O rany – odpowiedziałem. – Dopiero co tłumaczyłem to twojemu przeciwieństwu.

– A kto jest moim przeciwieństwem? – zdziwiła się Heike.

– Jesteś Niemką – oznajmiłem – więc twoim przeciwieństwem jest Ruski. Proste.

Heike się roześmiała. – Ach tak – rzuciła.

– No, ale dlaczego przyjeżdżacie? – spytała po chwili. – Zresztą – rzuciła – może i rozumiem dlaczego. Ale jednego nie mogę pojąć.

– Czego?

– Jesteście, wy, Polacy, rozsądnymi ludźmi – zaczęła bardzo ostrożnie. Zerkałem na nią podejrzliwie. – No... tak zakładam. Wytłumacz mi więc, dlaczego za każdym razem, gdy spotykam Polaka, ten mi opowiada, jakie to tutaj cuda widział. Jak to wszystko rozpierdolone do szczętu i nie działa. Każdy opowiada jakieś historie nie z tej ziemi. Przecież... – Heike ukradkiem oceniała moją reakcję – przecież wy musicie zdawać sobie sprawę, że u was jest tak samo. Przecież nie możecie być tak nierozsądni, by tego nie rozumieć. Prawda?

Westchnąłem.

– No to wytłumacz mi – ciągnęła Heike – po co wam ten teatrzyk? Co wy odgrywacie sami przed sobą?

Znów westchnąłem i pstryknąłem kiepem mniej więcej w to miejsce, w którym chrzcił się Wołodymyr kniaź.

I co ja jej miałem, kurwa, powiedzieć, że my, Polacy, mamy taką dziwną teorię, że czym innym jest syf łaciński, a czym innym – prawosławny?

– Polski nie pojmiesz rozumem – odpowiedziałem więc. No bo naprawdę: co miałem, kurwa, powiedzieć?

No, ale generalnie Heike była w porządku. A Sewastopol był całkiem przyjemny. W którejś z cerkwi wisiała ikona cara

Mikołaja. Car wyglądał na niej jak porządny prawosławny święty. W tej samej stylistyce. Kłaniały mu się w modlitwie kobiety, do ziemi. Była między nimi młoda dziewczyna. Miała może z osiemnaście lat, adidasy i różową bluzeczkę. Gięła się przed swoim władcą wyniesionym na ołtarze po czubki swoich butów.

Poszukaliśmy noclegu, bo razem taniej. W hotelu winda co prawda była, ale nie działała. Jej drzwi, podobnie jak całą ścianę, oklejono fototapetą w jesienne liście. Na ścianie był kaloryfer i jego nie dało się okleić, pociapano go więc farbami w brązowo-pomarańczowych kolorach. Drzwi się nie domykały. Seks zaczęliśmy uprawiać raczej z nudów. Nie chciało nam się chlać, a z wieczorem coś trzeba było zrobić.

Rano wybraliśmy się razem do Ałupki. Starą wołgą, prowadzoną przez Gruzina, taksiarza, który, jak opowiadał, był bohaterem Wojny Ojczyźnianej i kawalerem pośmiertnego medalu bohatera ZSRR. Wołga rzęziła i dyszała, parę razy gasła i trzeba było ją pchać – ale dojechaliśmy.

W Ałupce nie było nic ciekawego, ale nie chciało nam się jechać dalej. Siedzieliśmy na betonowych płytach zastępujących plażę i patrzyliśmy, jak Rosjanie skwierczą w słońcu. Miałem myśl, by ich poodwracać, bo przywrą. Ałupka składała się głównie z niszczejącego betonu, w ogóle tego betonu był tu zdecydowany naddatek. Zewsząd sterczały jakieś druty zbrojeniowe. Rdza i kruszenie, a na tym wszystkim gołe, poczerwieniałe od słońca ludzkie ciała. A później nastał wieczór i dobrze by było, kombinowaliśmy, znaleźć coś do spania. No i tak się złożyło, że gdy tylko opadł pomarańczowy pył, zobaczyliśmy szeroko uśmiechającego się do nas kolesia, który wyglądał trochę na Cygana, a trochę na Gruzina.

I ten Cygano-Gruzin zaczął przed nami roztaczać wizję zarąbistej kwartiry, niedaleko od morza, zaraz przy samym sklepie z wódką. Wsjo jest' – mówił. Sklep jest, zachwalał, co prawda nie całodobowy, ale właściciel mieszka zaraz nad, więc jakby co, to się puka i już ten właściciel potrzebującemu pomoże, duszy w potrzebie nie opuści. A poza tym sama kwartira – miód malina! Sami jedni tam będziemy, sami jedni na całej kwartirze, i w ogóle luksusy. Za jedyne dziewięć dziewięćdziesiąt dziewięć od osoby, tanio, okazja, kwaterę polecam.

Był tak zaangażowany w to, co mówi, tak mu zależało, że poszliśmy. Facet zaczął prowadzić nas ulicami, które następnie stały się uliczkami, a później już po prostu przesmykami pomiędzy budynkami nabudowanymi absolutnie bez żadnego planu i sensu.

Cygano-Gruzin, podobny do jakiegoś chudego ptaszydła z wielkim grzdylem na chudej szyi i nochalem jak dziób tukana, prowadził nas dziurskami i wykrotami, a my zduszaliśmy w sobie, każde z osobna, obawę (jako rasistowską), że jeśli to Cygan, to znaczy, że ryzyko wychujania jest większe niż przeciętnie.

I tak szliśmy, zatopieni w tym szlachetnym zduszaniu, na wszelki wypadek myśleliśmy sobie, że jakby co, to damy Cygano-Gruzinowi radę, bez jaj, no chyba że zaprowadzi nas w miejsce, gdzie jest więcej Cygano-Gruzinów.

Ale po mniej więcej pół godzinie marszu naszym oczom ukazało się osiedle chruszczowowskich blokiszczy obłażących wszystkim, czym tylko blokiszcza mogą obłazić. A w tle łysnęło Morze Czarne. W ostatnich, żeby było tandetniej, promieniach zachodzącego słońca.

Był też obiecany sklep z alkoholem. I w obiecanej bezpośredniej bliskości kwartiry, bo pod oknem. Pod sklepem lokalni żule zorganizowali sobie coś w rodzaju ogródka piwnego, ustawiając na czymś, co przy dużej dozie otwartości na świat można by nazwać chodnikiem, jakieś skrzynie, stare krzesła i stoliki. Popijali tam sobie wesoło, jeden grał nawet na gitarze i dobrze im było na świecie.

Klatka schodowa przypomniała mi wszystkie filmy o postapokaliptycznym świecie, jakie tylko widziałem: ludzie żyją w ruinach dawnych cywilizacji, ale nie wiedzą już, co do czego służyło i to wszystko po prostu osuwa się w zniszczenie, a cofnięci do kamienia łupanego *homo sapiens* rozbijają namioty ze skór w gruzach – dajmy na to – Sony Center na Potzdamer Platz w Berlinie.

Było tu ciemno i lepko. Śmierdziało tak intensywnie, że wszelkie próby wyodrębnienia poszczególnych odorów przypominały próby kiperskiego opisania smaku wychylonej przed chwilą szklanki spirytusu.

W trzypokojowym mieszkaniu na parterze czekała na nas babuszka: jak się okazało – teściowa Cygano-Gruzina. Chazjajka: właścicielka.

Cygano-Gruzin pożegnał się i zniknął, a chazjajka wręczyła nam klucze, skasowała hrywny, nazywając je rublami, pokazała gdzie ciepła woda, a gdzie zimna, powiedziała uczciwie, że trzeba uważać na piecyk, bo może wybuchnąć, życzyła miłego pobytu nad morzem i poszła sobie. Zabroniła tylko kategorycznie otwierać drzwi w korytarzu.

W sklepie z alkoholem kupiliśmy mnóstwo małych flaszek z dżintonikiem. Wróciliśmy na kwaterę. Piliśmy, siedząc na balkonie i gapiąc się na morze połyskujące pomiędzy zeslumsiałymi blokiszczami i zastanawialiśmy się, co też może być za tymi drzwiami. W końcu nie wytrzymaliśmy. Nacisnąłem klamkę. Drzwi były otwarte. Na środku pustego pokoju leżała trumna. Pusta, czarno lakierowana trumna. Nic więcej.

Gdy się obudziłem, Heike już nie było. Jej plecaka też. Na stole leżała kartka z podróżnego notesu z jej adresem mailowym, ale bez numeru telefonu. Napisała, żebym się odezwał, że trzeba się będzie koniecznie spotkać, gdy już wróci z Syberii. U niej w Berlinie albo u mnie w Krakowie. Pisała, że było miło i żebym tak się nie przejmował tymi wszystkimi sprawami związanymi ze słowiańskością, germańskością, niemieckością, rosyjskością i polskością, że koniec końców to gówno warte. Narysowała emot buziaka (:*) i podpisała się imieniem i nazwiskiem. Roześmiałem się. Położyłem się na łóżku i zapaliłem papierosa, mimo że rano nigdy nie palę. Słońce wpadało do pokoju skośnie, rześko, radośnie.

W Jałcie, na głównym prospekcie, stały fotograficzne atelier z lepszym światem. Można było przebrać się za carską rodzinę, za pirata albo za muszkietera.

Koniecznym elementem tych wszystkich wnętrz był przepych. Bez przepychu nie było zabawy i nikt by nie zapłacił złamanej hrywny czy, jak się tu mówiło, rubla. Ci, którzy nie mieli pieniędzy na carskie atelier, mogli zrobić sobie fotkę z małym krokodylem. Miał paszczę zalepioną biurową taśmą klejącą. „Żeby nie ujebał" – wytłumaczył mi koleś przebrany za pirata, który wypożyczał krokodyla. Pirat miał połowę zębów zamazaną czarnym markerem, że niby ich nie ma. Była też kulawa małpka i w cholerę papug. Na szczycie Aj Petri stały we mgle wielbłądy. Wwożono je tam autobusami, naprawdę. Ze wszystkich okien wystawały wielbłądzie głowy. Tego wszystkiego zaczynało robić się za wiele.

W Ałuszcie trwało coś w rodzaju ruskiego karnawału. Gdy przemęczony już autobus, prowadzony przez równie przemęczonego kierowcę, wyrzygał mnie na dworcu autobusowym, wpadłem w ten karnawał po uszy. Każda ściana tętniła tu ruskim disco, ruskie disco wylewało się z każdego pęknięcia, przeciskało się pomiędzy samochodami zaparkowanymi w każdym wyobrażalnym miejscu, pomiędzy powyginanymi blachami, pokruszonym betonem, szyldami z płyty pilśniowej, cyrylickimi literami wyciętymi z kolorowej folii i naklejonymi na co się dało.

Nieco otępiały poszedłem szukać kwatery. Już po kilkunastu krokach dopadła mnie babuszka z tekturową tabliczką w dłoni. Babuszka uśmiechała się uroczo i rozbrajająco, a na tabliczce było napisane, że niedaleko i niedrogo. Poszedłem z nią. I znów zanurzyłem się w te bebechy antyurbanistyki i antyarchitektury, i trafiliśmy do rachitycznego domu, zbudowanego właściwie nie wiadomo z czego, bo było tu wszystko: pustaki, drewno i cegły; konstrukcja tu i ówdzie oblepiona była sajdinigiem. Przed domem, na ławeczce, siedziała sobie bardzo biała, galaretowata pani. A obok niej – równie biały i równie galaretowaty chłopiec, który musiał być jej synem. Wyglądali jak dwie czarnomorskie meduzy, z których ktoś ulepił ludzi.

– To pani Masza – szepnęła prowadząca mnie babuszka – samotna matka, z synem Igorem. Przyjeżdża tu co roku. Z Norylska.

– Z Norylska – szepnąłem z podziwem. Nie byłem w stanie wyobrazić sobie Norylska. Betonowego mieściszcza pośrodku niczego, w zupełnej pustce. Norylsk równie dobrze – myślałem – mógłby orbitować w kosmosie. Nie było w okolicy Norylska niczego, na czym można byłoby zawiesić wyobraźnię. W odległości, w której – myślałem – człowiek w Europie ma od siebie Paryż, Londyn, Pragę, Kraków, Monachium, Zurych czy Rzym, oni tam, w Norylsku, mają jedną czy dwie wsie – drewniane i zabłocone, brudne i półzwierzęce, nad którymi unoszą się opary alkoholu i barszczu. Kilka smutnych, przerażających punktów w niebycie. I sam Norylsk – pokryte sadzą, ponure osiedlisko wbite w wieczną zmarzlinę, pół roku drżące w zupełnych ciemnościach, drugie pół – w wiecznej godzinie piątej nad ranem, w którym nie wiadomo, co lepsze: czy minus czterdzieści po ciemku, czy błoto po pachy w bladym świetle.

Nie potrafiłem sobie tego wyobrazić. Zerkałem na rodzinę bladych meduz, która miała dwa tygodnie wolnego od swojego przeklętego losu w przeklętym mieście, w przeklętym miejscu poza historią, rzeczywistością i światem.

Pani meduza popijała sobie z kieliszka naleweczkę. Podlewał jej właściciel kwatery – pan Ilja. Syn meduzi też dostawał, na dnie kieliszka. Wylizywał to jak syrop, długim, różowym i mackowatym jęzorem. Pan Ilja zaprosił mnie, bym usiadł.

Nalał. Nic do siebie nie mówiliśmy. Patrzyłem tylko, jak dzika zieleń zarasta gruzowisko na podwórzu. To był kojący widok. Popijaliśmy i patrzyliśmy przed siebie. Czasem któreś z nich wzdychało – raz pan Ilja, raz pani meduza, innym razem syn meduzi. Po jakimś czasie dosiadła się do nas gospodyni i też wzdychała. Czasem ktoś coś powiedział. Jakieś jedno słowo. Kto inny coś dopowiedział. Dopowiadał najczęściej pan Ilja. Ruskie dicho słychać było jak przez watę. W pewnej chwili usłyszałem inny dźwięk, bardzo charakterystyczny. Z początku myślałem, że sobie roję, że dośpiewuję sobie melodię tak samo, jak czasem człowiek potrafi dorobić muzykę do stukania kół pociągu – ale nie. To był najprawdziwszy śpiew muezina.

Spytałem, skąd to.

– To bisurmany – powiedział pan Ilja – nie warto. Idźcie – powiedział – lepiej do naszego kościoła Wszystkich Krymskich Świętych, a nie do meczetu. Tam Tatary, a Tatary ojczyznę zdradziły, z Hitlerem na nas poszli. Stalin ich – pan Ilja wykonał starczą dłonią nieokreślony ruch – wyjebał w Kazachstan. No, ale teraz wrócili. I – ot – śpiewają.

Wstałem i poszedłem. Przed siebie. Błądziłem szarymi uliczkami tego radzieckiego Śródziemnomorza, miejsca, które obnażało strukturę śródziemnomorskiego miasta w ogóle. Została tu po Śródziemnomorzu tylko plątanina uliczek. Tak samo, jak w Bakczysaraju po Oriencie. Krym był jednocześnie „radzieckimi Włochami", jak i „radzieckim Bliskim Wschodem". A Ałuszta była dowodem, że jedno i drugie to właściwie to samo, różne są tylko ozdobniki. Ale Ałuszta oskrobała Śródziemnomorze z ozdobników do samego szkieletu, do gołego planu. Odarła z uroku do czystej funkcjonalności. To też miało zresztą swój urok. Genueński mur, wznoszący się tu od setek lat, zredukowany został do roli tylnej ściany rzędu szop, w których okoliczni mieszkańcy trzymali narzędzia. Gdy wylazłem w końcu na sam szczyt wzniesienia – zobaczyłem dwa morza.

Jedno – Czarne.

Drugie – złote, z blaszanych, płaskich dachów, w których słońce taplało się i pluskało jak radosny pies. Chętniej niż w wodzie.

Meczet wyglądał jak barak, a minaret był wzniesiony z cegieł. W środku było pusto. Zawodzenie muezina leciało z magnetofonu. Czułem się zawiedziony. Poszedłem szukać tej cerkwi Wszystkich Krymskich Świętych i znów wdarłem się w tę strukturę betonowej baśni.

No i znalazłem ją w końcu. Cerkiew Wszystkich Krymskich Świętych. Stały przed nią cysterny ze święconą wodą ustawione na stojakach. Każda z cystern miała kranik. Zawory były uformowane w małe krzyżyki. Przed cysternami tłoczyły się babuleńki. Nabierały wody do plastykowych butelek, po czym wchodziły do środka. A ze środka dobiegało nieludzkie wycie.

Wszedłem i zamarłem. Pośrodku cerkwi stało krzesło. Do krzesła przywiązany był człowiek. Półnagi. Miał na sobie jedynie spodnie od garnituru i gumowe klapki na bosych stopach. Wył i szarpał się niemiłosiernie. Wyglądałoby to na scenę egzekucji z jakiegoś filmu Tarantino, gdyby nie jego oprawcy – bo to byli popi. Chociaż, czy to by nie pasowało do Tarantino? Popi w czarnych sutannach, z brodami jak faryzeusze, z włosami spiętymi w kucyki. Krążyli wokół związanego jak węże. Okadzali go kadzidłem. Co chwila podchodziły babuleńki z tymi plastykowymi flaszkami pełnymi święconej wody i chlustały związanemu w twarz. Ten parskał, wył i spazmował. Czasem wywracał się na cerkiewną posadzkę razem z krzesłem – popi go wtedy podnosili. Ten najważniejszy nie miał kadzidła. Spod sutanny wystawały mu sandały. Wyglądał jak kapłan jakiegoś egzotycznego kultu odprawiający szamańskie modły. Czasem kładł przywiązanemu rękę na twarz i syczał mu coś w oczy, innym razem uderzał go lekko w policzki wierzchem dłoni.

– Co tu się dzieje? – wyszeptałem do którejś z babuszek.

– Czorta – odszepnęła – wypędzamy.

– Czorta? – powtórzyłem zesztywniałymi wargami.

– Tak – odrzekła, próbując wcisnąć mi w dłoń butelkę – bierz, chluśnij.

Wziąłem od niej butelkę, napiłem się i wcisnąłem ją z powrotem w szponiastą, starczą dłoń.

Związany wierzgnął naraz nogą tak mocno, że jego gumowy klapek wystrzelił ze stopy i poszybował w górę. Wszyscy zebrani obserwowali jego trajektorię. Klapek wykonał piękny łuk i wpadł za ikonostas. Przeleciał ze sfery profanum do sacrum, ale nikt jakoś się nie przejął. Pop i jego akolici też nie.

– A wy skąd? – spytała mnie babuszka, upijając nieco święconej wody z butelki.

– Nie stąd – odpowiedziałem, zapatrzony.

– A prawosławna wiara u was jest? – ciągnęła.

– Pewnie jest – odpowiedziałem – nie szukałem.

– To musicie, musicie – poklepała mnie po łokciu – musicie poszukać. Podeszła do spazmatyka i chlusnęła mu wodą w twarz, po czym przypierdoliła mu jeszcze w głowę plastykową butelką.

Po jakimś czasie mężczyzna przestał się rzucać. Podejrzewałem, że się po prostu zmęczył, ale baby zaczęły od razu wznosić modły. Jeden z popich akolitów wybiegł na chwilę z cerkwi, po czym wrócił z butelką wódki i kilkoma białymi, plastykowymi kubkami. Nalał jeden kubek opętanemu. Ten, półnagi i półbosy, przyjął z wdzięcznością i wychylił. Wypili też popi, za każdym razem wychlustując na ziemię. Egzorcyści. Nie wyglądali jak księża, wyglądali jak zagon wojowników po skończonej walce.

Schodziłem uliczkami w dół. Ruskie disco unosiło się nad miastem jak smog. Na nadmorskim deptaku, gdzie wszyscy już zaczęli się gromadzić, by co z wieczora wypić, stał telewizor z karaoke. Ociekająca wodą, pijana para w samych strojach kąpielowych, stojąc boso na pokruszonym betonie, śpiewała duszeszcipatielną pieśń, której tekst wyświetlał się na ekranie. Niektórzy jeszcze próbowali się opalać w ostatnich promieniach słońca. Leżeli na tym popękanym betonie i wyglądali tak, jakby ktoś ich rozstrzelał.

Kawałek dalej młoda, szczupła dziewczyna stała przy grillownicy pełnej węgli rozgrzanych do czerwoności. Piekły się na nich małże ponabijane na szpikulce. Dziewczyna tańczyła.

Trudno było powiedzieć do czego, bo tych muzyk słychać było kilkadziesiąt. Dobiegały z każdego miejsca, każdego baru, z każdego straganu. Zbijały się ze sobą i tworzyły jedną, wielką, rozedrganą, badziewną muzyczną kulę, muzykę Ałuszty, i to do niej tańczyła dziewczyna sprzedająca małże. Zrzuciła japonki i stała boso na kamieniach. Na palcach jej stóp, długich i wąskich jak u śmierci, błyszczały tandetne pierścionki.

Do Sudaku pojechałem już bez przekonania. Szedłem przez rozkurwione miasteczko, w głowę waliło mnie ruskie techno i chciałem stąd uciekać. Doszedłem do morza i wtedy, odwracając głowę w prawo, zobaczyłem starą genueńską twierdzę. Na skale, która przypominała kobiecą pierś. I wtedy, patrząc na tę twierdzę, pojąłem, że po raz pierwszy od kiedy tu przyjechałem, patrzę na coś pięknego. Na coś pięknego zwyczajnym, obiektywnym pięknem, choć podobno obiektywnego piękna nie ma. A jednak było. To nie było perwersyjne piękno, to nie było piękno, którego trzeba było się doszukiwać – to było zwyczajne piękno, którego już od tak dawna nie widziałem, którego tak łaknąłem, że z miejsca pomaszerowałem w tamtą stronę. Tak wzruszony, że w oczach stanęły mi łzy.

II. Podróż do Mordoru

Udaja i Kusaja wessały wichry historii. Wyjechali do Londynu i ślad po nich zaginął. Podejrzewałem, że dorobili się już kolczyków w nosach, soczewek kontaktowych z trupimi czachami w miejscu źrenic, pomarańczowych włosów i statusu słowiańskich gwiazd angielskiej sceny klubowej. Byłem pewien, że są jakimiś odjechanymi didżejami albo co najmniej dźwiękowcami, że żrą piksy jak chipsy, kwasy jak frytki i że z tego wszystkiego zdążyli się już najpewniej w końcu wzajemnie zerżnąć – przez pomyłkę czy też po prostu za sprawą wpływu liberalnego brytyjskiego społeczeństwa. Z Tarasem sprawa była inna.

Z Tarasem się pogodziłem i zaprzyjaźniłem. Jeździłem do niego do Lwowa. Był świetnym kontaktem – jako znany w regionie dziennikarz miał niezłe znajomości, do tego wszyscy go kochali jako Ukraińca z polskiego odzysku. Traktowali go tak, jak Polacy traktują obcokrajowców z Zachodu, którzy wybrali naszą, polską dolę – ze wzruszeniem i sympatią, ale głównie z nadzieją, że dostrzegli w naszej rzeczywistości COŚ, czego my już nie widzimy, i ukochali to tajemnicze COŚ miłością tak wielką, że porzucili dla COSIA wygodny Zachód i osiedlili się w polskiej ziemi, między nowemi swemi. Czyli – myśleli Polacy (i Ukraińcy), patrząc na takich obcokrajowców – jeszcze z nami nie jest tak źle, nie jesteśmy tymi ostatnimi na planecie...

Prawda jednak jest taka, że powody tych przenosin są zawsze o wiele bardziej prozaiczne, a przybysze z wygodniejszych stron świata zazwyczaj okupują je długotrwałą depresją i rozżaleniem. Taras nie był wyjątkiem.

W każdym razie – skumplowaliśmy się. Lubiłem go, a on lubił mnie. Poza tym pisałem doktorat z zachodnioukraińskiego separatyzmu, a przez Tarasa miałem idealne dojścia do ludzi z tego środowiska.

Cały ten zachodnioukraiński separatyzm był jednak sprawą kanapową. Separatyści byli w końcu intelektualistami, a intelektualiści są z natury niezdolni do działania. Siedzieli w „Zielonej Karafce", chlali lwowskie nalewki i kłócili się o to, czy cyrylicę warto zastępować łacinką, czy może jednak nie warto. Rozpływali się nad przecudownym kształtem litery ї. Nie byli w stanie nikogo wziąć za łby. Siebie też nie.

Nie mieli nic wspólnego z radykalnymi upowcami, na których tak chętnie się powoływali. Na każdym kroku zaznaczali, że do Polaków absolutnie nic nie mają, wręcz przeciwnie, że z chęcią poszliby z nami na Moskali. Prawda jednak była taka, że z nikim na nikogo by nie poszli.

Za bardzo lubili swoje życia. Lubili swoje lwowskie knajpki, które powstawały wtedy jedna na drugiej, lubili galeryjki i antykwariaty ze starymi rupieciami – polskimi i austriackimi najczęściej, lubili nurzać się w historii. Rozumiałem ich i dlatego lubiłem. Ale nie zrobiliby żadnej rewolucji, nie byli zdolni do żadnego radykalnego działania, o którym pierdolili co wieczór, gdy się najebali. Wcale im się zresztą nie dziwiłem.

No i taki to był separatyzm. Siedzieli w coraz to nowej kawiarni i coraz to nowym pubie, chłonęli „europeizujący się" Lwów, tę europejską wiosnę, którą coraz mocniej było w mieście czuć, a która objawiała się głównie tym, że Lwów nabierał coraz przyjemniejszego klimatu. Jarali szlugi, popijali nalewki i pieprzyli o tym, jak to będzie pięknie, kiedy w końcu Hałyczyna oderwie się w końcu od tego zruszcznego, zsowieciałego kadłubiska, od Ukrainy kozackiej, od Zaporoża i Dzikich Pól, od Budziaku. Na które trzeba, mówili, położyć, niestety, kreskę i sobie odpuścić. Nie przeszkadzało im to absolutnie w snuciu fantazji na temat „Zielonej Ukrainy" na dalekim wschodzie Rosji i o tym, jak to by było warto odzyskać od Rosji „ukraiński Kubań".

Tak więc, w rzeczy samej, żadnego zachodnioukraińskiego separatyzmu nie było. W doktoracie i artykułach musiałem ściemniać, ile wlezie.

– Żeby stworzyć niepodległe od Kijowa państwo zachodnioukraińskie, musielibyśmy – tłumaczył mi kiedyś błogo pijany miodówką profesor Petrewycz z lwowskiego uniwerku – wytyczyć granice, to raz – odgiął palec.

– Już wtedy polałaby się krew, ale to byłby dopiero początek. Bo następnie musielibyśmy ogłosić niepodległość w ramach tych granic – odgiął drugi palec.

– Dać odpór wojskom centralnym i tym, którym nie podobałaby się idea separacji, to trzy – trzeci palec. – Tu polałoby się już morze krwi, i byłaby to głównie nasza krew. Moglibyśmy też – mówił – próbować przeprowadzić ideę autonomii galicyjskiej w Werchownej Radzie w Kijowie, ale absolutnie niemożliwym byłoby uzyskanie dla tej idei większości.

Gdy pytałem o to Tarasa, wzruszał ramionami. Mówił, żebym się o takie rzeczy nie martwił. A czemu miałbym się, kurwa, martwić, myślałem. Nie mój kraj, nie moja sprawa. Ja przecież, w gruncie rzeczy, wyłącznie z nimi wszystkimi piłem.

Ale lubiłem z nimi pić. Ich towarzystwo to nie było to, co nasi artyści i dziennikarze – tumany bez wiedzy ogólnej, zakokszone matoły, lanserzy puści jak wieprzowe pęcherze i barany z mordami na barze w haendem odziane. We Lwowie było pod tym względem trochę jak u nas w międzywojniu, kiedy to bohemę stanowili lekarze, prawnicy, czy – w najgorszym razie – kolesie po ASP. Kiedy symbolem lansu było pięterko w Ziemiańskiej, a nie Pies o czwartej rano. Są, jak widać, również plusy tkwienia w przymusowej konserwie.

Inteligencki Lwów miał specyficzne podejście do Polaków. Było ono nieco podobne do stosunku Polaków do Niemców: mieszanina niechęci i fascynacji, pogardy i zachwytu. Lwowscy inteligenci kibicowali polskiej drużynie piłkarskiej (apogeum tego kibicowania to były czasy radzieckie, kiedy trenerem był lwowiak Górski), oglądali polską telewizję, czytali polskie książki i portale internetowe.

– Lubię Polskę – mówił mi jeden z nich, lwowski pisarz Prohyra – przypomina mi zachodnią Ukrainę jak nic innego na świecie, tyle że mniej rzeczy mnie tam wkurwia. Przyznałem mu rację. Też nie znałem innego kraju tak podobnego do Polski, jak zachodnia Ukraina. I też wkurwiała mnie bardziej niż Polska, głównie przez tę swoją wschodniość. Tę naleciałość, w której już coraz mniej widziałem egzotyki. Powiedziałem mu to i wypiliśmy.

Zresztą – wszyscy tu mówili po polsku, i to piękną polszczyzną. Twierdzili, że nauczyli się jej jak Szwejk niemieckiego: sami z siebie.

Choć nigdy bym tego sam przed sobą nawet nie przyznał – byłem z tego powodu w jakiś sposób dumny. Choć żałosna to była duma, bo dziurooka dziewczyna z pociągu Drohobycz–Lwów miała, oczywiście, rację.

No i któregoś zimowego dnia wybraliśmy się z Tarasem na ten potworny wschód. Zobaczyć go w końcu. Zobaczyć miejsce, gdzie to wszystko, co wschodnie, się lęgnie.

Dziwne i zabawne, ale Taras też nigdy wcześniej tam nie był.

Jechaliśmy pociągiem i jeszcze przed Kijowem Taras zaczął patrzeć na widok za oknem z rosnącą nienawiścią. Jak Adenauer podróżujący za Łabę. Patrzył na ten szarobury ugór po horyzont przysypany brudnym śniegiem i szczerzył te swoje kły. Było granatowo-szaro, a słońce świeciło tylko na tyle, żeby nikt się nie mógł do niego przypierdolić, że olewa służbowe obowiązki.

Bóg nas pokarał tym pierdolonym stepem, tą zasraną pustką, powtarzał Taras. Był zły, popijał wódkę, którą kupił sobie od chłopa na jednym z peronów, popękanym jak pięty staruchy. Tutaj wszystko się rozmywa, mówił, tutaj już jest wszystko jedno. Czy Ukraina, czy Rosja, czy cokolwiek. Czy Mordor.

I zaczął opowiadać, że cały *Władca Pierścieni* jest o konflikcie cywilizowanego, porządnego, estetycznego i wolnego europejskiego Zachodu z dzikim, azjatyckim, turańsko-słowiańskim i przygnębiającym Wschodem. Z barbarią zaludnioną przez orki, które umieją tylko chamsko ryczeć i się bić. Antyestetycznym zamordyzmem podniesionym do rangi magiczno-totalitarnej machiny.

Po stronie hobbitów, Aragorna i elfów – wywodził Taras, ciągnąc gorzałę z gwinta jak stereotypowy Ruski – jest zieleń, wyrafinowane miasta i pałace, delikatna kultura, eleganckie wioseczki i zacne knajpeczki. Po stronie Saurona – paskudne ryje ogrów-untermenschów, depresyjne pustkowie i sinoszare skały, bezwolne, ciężkie masy i ponury, zły, wszystkowiedzący przywódca. Mroczny Big Brother.

Na zachodzie Śródziemia – twierdził Taras, gapiąc się przez okno, przy czym nienawiść była powoli zastępowana przez zrezygnowanie – Tolkien podkreślał indywidualizm mieszkańców, rozbijając ich na rasy: krasnoludy twardo stąpające po ziemi – niby Niemcy, poetyckie elfy – niby Francuzi. I ludzie, jako coś pomiędzy jednymi i drugimi. Pewnie Brytole. W różnorodności siła w każdym razie, nie jesteśmy tępą masą, jesteśmy pięknymi jednostkami. I ogólnie miło jest, ożywczy wietrzyk ciągnie między zielonymi pagórkami. A na wschodzie jest tylko ten cały zły Mordor, szara masa, której wszyscy się boją. Barbarzyńcy. Tępe, grubo ciosane orki i trolle o mordach jak kalarepa. Chlupiące w szaroburym krajobrazie. Bełkoczące w jakiejś niedorobionej wersji ludzkiego języka. No i proszę – wskazał podbródkiem pejzaż za oknem – to gówno bez kształtu i bez wyrazu...

Nie bardzo orientowałem się w mitologii *Władcy Pierścieni* i, szczerze mówiąc, nie fascynowała mnie specjalnie, choć wiedziałem, że Tolkien siedział nad tym wszystkim pół wieku i przez te pół wieku tkał te wszystkie języki, ludy, kultury i przymierza.

– To dlaczego jeden z najlepszych kumpli Aragorna ma na imię Boromir? – wysiliłem wiedzę.

– Boromir to nie Słowianin, choć jego imię brzmi słowiańsko – wytłumaczył Taras. – To jest mieszanina języków elfickich. Tolkienowi wyszło tak przypadkiem, i nawet jeśli się zorientował, że to słowiańsko brzmi, co wcale nie jest takie pewne, to olał, bo nie miało to dla niego znaczenia.

– Ale widzę, że Mordor leży raczej gdzieś w okolicach Rumunii – powiedziałem, patrząc na mapę Śródziemia nałożoną na mapę Europy. Taras wyszperał ją w necie na swoim smartfonie i teraz podsuwał mi pod nos. – Na wschodzie leży Rhun.

– Mordor po prostu leży przed Rhun, a w Rhun – tłumaczył cierpliwie Taras – w Rhun mieszkają Easterlingowie. To tacy – w zasadzie – Scytowie. Albo Mongołowie. Albo jacyś, kurwa, Ujgurzy, Nieńcy, Pieczyngi. Nie ma to znaczenia, jak widać, dla Tolkiena. W każdym razie Easterlingowie są sprzymierzeni ze słowiańskim Mordorem. A poza tym co z tego, że leży w „Rumunii". Rumunia to Transylwania, kraina wampirów i wilkołaków, dla przeciętnego człowieka Zachodu – Europa Wschodnia właśnie, wszystko jedno: słowiańska czy niesłowiańska. A poza tym, jeśli Mordor to nie Słowianie, to by znaczyło, że Tolkien po prostu zignorował Słowian. To już – pokiwał głową Taras – nie wiem, co lepsze. Być wcieleniem całego zła tego kontynentu czy w ogóle nie istnieć.

Zapadła wczesna, zimowa noc i przez okno nie było widać nic. Piliśmy tę wódkę i jedyny jej efekt był taki, że byliśmy coraz bardziej i bardziej zmęczeni.

Zmęczeni się też obudziliśmy. W Zaporożu. Był czarny mordorski poranek. Z dworcowego radiowęzła dudniła marszowa muzyka. Taras był tą muzyką zaskoczony. U nas takich rzeczy nie ma, powiedział, podkreślając to „u nas".

Potomkowie kozaków na ulicy rozchlapanej siwoszarą breją nie mieli w sobie nic z kozackości. Jeśli już cokolwiek w sobie w ogóle mieli, to rezygnację, która w każdym momencie mogła się przerodzić w agresję.

Szliśmy przez okolicę, której nie dało się w żaden sensowny sposób opisać. Były tu jakieś budynki, był tu jakiś asfalt, ale wszystko to do kupy niczego nie tworzyło, mój umysł nie mógł się na tym skoncentrować tak samo, jak kilka lat wcześniej nie potrafił koncentrować się na podręczniku do prawa podatkowego. Rury od gazu szły górą i były pomalowane na jaskrawożółto. Ale nawet ta jaskrawa żółć nie dawała rady ogólnej granatowej szarości.

Świt co prawda wstawał, ale wyglądało to tak, jakby sobie jaja robił. Wschodnia Ukraina, Zaporoże, żyła tylko dlatego, że skoro już się urodziła, to wypadałoby już jakoś tam poistnieć, zanim się znów w niebyt osunie. Tak to wyglądało. Zaporoże istniało na odpierdol się.

Wsiedliśmy w tramwaj. Na każdej szybie naklejone było ogłoszenie: „Chcesz poznać obcokrajowca i wyjechać? Przyjdź do naszego biura randkowego AMOR. Szwedzi, Włosi, Hiszpanie, Amerykanie, Niemcy".

Większość pasków z numerami telefonicznymi pod spodem była oderwana. Na billboardach, jak w całej Ukrainie, kozacy reklamowali wszystko, co było do reklamowania. Serki, kredyty, samochody i dywany. Sklep z dywanami reklamował zresztą Dywan Dywanycz. Taki, cóż poradzić, dywan zwinięty w rulon – tyle że z oczami, ustami, osełedcem i przy szaszce. Tramwajarz pędził swoim starym trupem, jakby wiózł kartofle. Staruszkowie próbowali utrzymać równowagę, kurczowo trzymając się uchwytów. Wyglądali tak, jakby traktowali to trzęsienie jak dopust boży. Jak wiatr czy grad. Trzęsie, to się trzeba trzymać, tyle. Patrzyliśmy tępo na dwóch kominiarzy, którzy wysiedli na przystanku przypominającym czarną dziurę. Świetne miejsce dla kominiarza.

– Patrz – powiedziałem do Tarasa – fabryka zaporożców.

– Nie wkurwiaj mnie nawet – usłyszałem. – Zajebiście piękny ZAZ, nie ma co, ładniejszego na całym świecie nie ma. I zajebiście piękny owoc trzewi jego. Przecież tutaj jakikolwiek urok, jakiekolwiek piękno to są artykuły ostatniej potrzeby. Te gnoje zakopane po uszy we własnym gównie nic się, kurwa, nie zmieniły od czasów Połowców i Pieczyngów. Jedyne, co potrafią – zerwał wściekłym ruchem jedno z ogłoszeń agencji randkowych – to skurwić się przed jakimś obcokrajowcem po to, by stąd wypierdolić. Oto co ten bidny, zmoskalszczony wschód robi z ludźmi. Zamienia ich albo w ślepe gnidy, albo w kurwy.

Darł się tak, że ludzie zaczęli się na nas oglądać.

– Co się patrzycie, moskalskie śmieci, co się gapicie – wydarł się nagle po ukraińsku. Aż podskoczyłem. – Nie martwcie się, banderowiec nie przyjechał was nawracać na banderostwo, z was już nic nie będzie. Wasz kraj to nie jest mój kraj. Nigdy, kurwa, nie był, ale my, u nas, w Bandersztacie, za późno to zrozumieliśmy. I po chuj, powiedzcie mi, moskalskie szmaty, za was krew przelewaliśmy! – nakręcał się Taras. – Jedyny, kurwa, król Daniel to rozumiał i parł na zachód, a nie na wschód, do waszych zajebanych karto...

Przerwał w pół słowa, bo szarpnąłem go za rękaw i siłą postawiłem do pionu. Tego już było za dużo. Miał szczęście, że tramwajem podróżowali sami staruszkowie, ale i oni zaczynali już wstawać z miejsc. Jednak kozacy to kozacy. Nieforemni, obwiśli, ale ze złością w czarnych, starczych oczach. Bluzgali bryzgającą ruszczyzną. Zbliżał się przystanek. Ale kierowca zahamował ostro, jak ostatni cham, i dziadkowie, którzy zapomnieli we wzburzeniu o trzymaniu równowagi, powypieprzali się na zachlapaną błockiem podłogę.

– Wysiadamy, idioto – warknąłem, a zrezygnowany Taras dał się wyprowadzić jak dziecko.

– To nie jest mój kraj – powtarzał tylko. I bardzo chciał wrócić na dworzec, by pierwszym pociągiem odjechać do Lwowa.

Ale nie wróciliśmy. Nie tak od razu. To znaczy – też chciałem stąd uciekać, tak podpowiadał mi instynkt, ale nie tak. Coś mnie jednak zafascynowało w tej krainie brzydoty. Mimo że czułem przed nią lęk.

Zaporoże było gigantyczną ulicówką. Główna ulica, Lenina, była jak kilkunastokilometrowa kłoda pierdolnięta w ubłocony step. Budynki przy niej wyglądały jak te na Marszałkowskiej, tyle że jakby dotknięte słoniowacizną. Zaraz za tą fasadą zaczynały się drewniane chałupy. Coś tam było dalej, jakieś bloczydła, ale nadal wyglądało to jak wiocha, tylko taka, w której jakiś chory na głowę artysta nastawiał betonowych kloców. A dalej już była pustka po kres kresów, tu w zasadzie zaczynała się wszechświatowa próżnia aż po Urana, Neptuna i pas Kuipera. A nie ma nic bardziej przerażającego niż próżnia. Na końcu tej ulicówki stał Lenin jak ostatnie bóstwo na Ziemi. Za nim – wyobrażałem sobie – nie było już nic.

No, ale jednak było. I to nawet całkiem imponujące, choć dość nieludzkie – za Leninem wznosiła się gigantyczna zapora. DniproHes. Jeździły po niej samochody, a zapora drżała tak, jakby miała się zaraz zawalić. Napierał na nią przecież cały Dniepr. Trudno było sobie wyobrazić, że człowiek mógł powstrzymać tak ogromną rzekę.

– Tyle zostało z porohów – mruknął Taras, nadal wściekły, mimo że wmusiłem w niego pięćdziesiątkę wódki, pokazując jakieś trzy skałki sterczące ponad taflę wody. – Ta kurwa, Stalin wysadził je w powietrze. Bo żeglugę statkom utrudniały*.

Taksówkarz czekał na nas, paląc papierosa. Gdy wsiadaliśmy do jego łady, parę kilometrów wcześniej, słysząc, że rozmawiamy po polsku, spytał nas, czy jesteśmy obcokrajowcami. „Wy inostrancy, da?". „Tak", odpowiedział Taras. Równie dobrze mogło to być „tak" polskie, jak ukraińskie, ale w lekkiej nutce akcentu poznałem, że jednak ukraińskie. – „Inostrancy. Z Ukrainy".

---

* Taras się mylił, to nie było do końca tak, ale tłumaczenie mu tego nie miałoby specjalnie sensu.

Na wyspie Chortycy, tam, gdzie kiedyś stała Sicz – teraz było muzeum. A poza tym – drzewa i trawa. I ogólna beznadzieja. Brązowa rzeczka pompowała wodę do Dniepru. Po drugiej stronie mocarnej rzeki zalegała parodia plaży. Były tam jakieś blaszane parasole. Obłaziły z farby i z sensu.

Ale za to wieczorem miasto się rozruszało. Byłem zaskoczony. Po ciężkich, ledwie oświetlonych ulicach, pokrytych mieszaniną brudnego śniegu i lodu – snuły się rozbawione postaci w czarnych kurtkach, za nic mając własną bezkształtność. Panny miały kurewskie buty po końce ud. Szpile wbijały się z chrzęstem w lód i pomagały im utrzymać równowagę. Bo wszyscy byli nawaleni. Krążyły jakieś flaszki, krążyło supermarketowe sushi z małych opakowań. Ruszali się jak ciężkie, czarne niedźwiedzie, ale to jednak była fiesta. Ciężka, ruska fiesta.

Szliśmy przez to wszystko z Tarasem i aż nam się samym zachciało wódki. Kupiliśmy w sklepie flaszkę i sok pomidorowy. Było minus pięć. Rozłożyliśmy jakieś tekturowe kartony na schodkach zamkniętego muzeum. Usiedliśmy na nich. Popijaliśmy i patrzyliśmy, jak naród krzyczy, rozbawiony. Jak pociąga wódkę i piwo. Różowe poliki i zadarte, zaczerwienione nosy. Czarne kurtki. Czarne spodnie. Czarne buty. Obłupana, megalityczna ulicówa zamiast wąskich, uroczych uliczek. Gorzała zamiast wina. Ciężkość zamiast lekkości. Ale jednak fiesta.

Oni w ogóle – uświadomiłem sobie nagle z olśniewającą jasnością – nie mają ze sobą problemu. Z tym, kim są. Dobrze się czują w swoich skórach. W swojej rzeczywistości. Absolutnie dobrze. Być może dopiero jak się napierdolą, ale to zawsze coś. Taras musiał myśleć mniej więcej o tym samym, bo usłyszałem, jak mamrocze:

– Oni tutaj nawet nie myślą, że mogliby być Europą. Europa jest stąd za daleko. Poza zasięgiem. Nic tu jej nie przypomina. Mają ją w dupie i nawet nie próbują za nią gonić. Tylko my się męczymy. Bo ją już od nas widać, jest w zasięgu ręki, ale...

Przerwał. Tego im zazdrościliśmy, ja i Taras, pijąc na rozpieprzonych schodach wódkę i zapijając ją sokiem pomidorowym z kartonu.

– Ty, Taras – spytałem nagle. – Ty byłeś kiedyś w Rosji?

Aż dziwne, że nigdy mi nie przyszło do głowy spytać go o to wcześniej.

Taras wziął łyk wódki, popił pomidorem, odpalił fajkę, splunął i powiedział:

– Nie.

Taras wrócił do Lwowa. Ja chciałem zobaczyć więcej. Pojechałem do Dniepropietrowska.

I znów się okazało, że step i Dzikie Pola to tak naprawdę ciągnące się po horyzont płaskie, błotniste ugory. Było dżdżyście i ciemnogranatowo. Non-stop ciemnogranatowo. Mimo że był dzień. Ta wilgotna gleba wsysała całe światło jak czarna dziura rozsmarowana po powierzchni ziemi. Biedni – myślałem – byli ci kozacy. Przez większość czasu musieli chlupać w tym gównie po kolana.

Autobus jechał czymś w rodzaju asfaltówki. Szosa roztapiała się w tym rozmokłym stepie, który nacierał na nią z obu stron. Nic tu nie było, czasem tylko przez posiniaczone powietrze przeciskały się kamazy wyładowane towarem po sklepienie niebieskie. I czarne furska z ciemnymi szybami, których celem istnienia było kojarzenie się z rosyjskimi serialami kryminalnymi. Patrzyłem na te ich ciemne szyby i myślałem o tym, co powiedział Elwood Blues do Jake'a Bluesa: „nie będzie łatwo". Jest noc, a my nosimy czarne okulary.

Budynek dworca autobusowego wyglądał jak wejście do piekła. Po placu przed nim krążyły postaci zakutane w kurtki po same nosy. A kurtki były czarne bez wyjątku. Wszystkie. Byłem tu jedyny nieczarny i czułem się jak malowany ptak. Szpice ich mokasynów ćtapały kałuże zimnej wody, bo akurat przyszła odwilż i popękany, pełen szczelin asfalt napełnił się pośniegową zupą i stał czymś w rodzaju mordorskiego Ziemiomorza. Szyldy i ogłoszenia wyły z każdej strony jak potępieńcy, skamlały i dzwoniły łańcuchami: różnokolorowa cyrylica wszeptywała się w oczy z każdej strony i można było od tego zwariować.

Do tego jeszcze te pieprzone budy z badziewnym ruskim dicho – każdy ze sprzedawców, smagłoskórych kaukazczyków w podrabianych czapkach adidolca, podkręcał gałkę swojego odtwarzacza na baterie, a w związku z tym, że postęp techniczny jest jednak, kurwa, imponujący i byle gówno na baterie potrafi ryczeć jak syrena w rocznicę powstania warszawskiego – to ryczało.

I z każdego odtwarzacza napierdalało co innego, z każdego głośnika inna lasia skrzeczała pod syntezator, że kocha, lubi, szanuje, nie chce, nie zna, otruje, i że dawaj, kochany, pojedziemy na plażę do Hurghady leżeć. Te melodie uderzały o siebie wzajemnie jak rydwany w Ben Hurze, krzesząc skry i wypierdalając się wzajemnie na glebę. I pomiędzy tym wszystkim, pomiędzy tą nadupcanką tąpały umęczone, pomarszczone babuszki objuczone wszelkim możliwym towarem: siatami, torbami, reklamówkami z logami Dolce & Gabbana, Bruno Banani i wódki Smirnoff.

I najmniej na tym dworcu autobusowym chodziło o autobusy.

Przecież tak się nie da żyć, myślałem, a miałem kaca jak jasna cholera, przecież to nie o to chodzi, przecież tu wszystko jest dokładnie nie tak. Im tu, myślałem, potrzebny jest mesjasz.

Naprawdę, myślałem, mesjasz, który wylezie na którąś ze stert podrabianych dżinsów i stojąc na tej stercie, wytłumaczy im, że idą w kompletnie złym kierunku. Że ziemia obiecana w drugą stronę. Że tak nie może być. Że to szosa do piekła, Adskaja Szosse, z której muszą zawrócić, bo inaczej będą coraz bardziej nienawidzić siebie samych i świata wokół.

No tak, miałem kaca. Miałem ochotę podejść do któregoś z kaukaźców i poprosić o pas szachida. Albo strzelić prostowniczego klina i nakupić czeskiego plastiku, zaminować elegancko cały dworzec, a potem – oddalając się jednak na bezpieczną odległość – nacisnąć przycisk i patrzeć, jak eksplozja zmiata to wszystko z powierzchni tej planety zasługującej na coś lepszego, patrzeć jak to wszystko się wali, te straganidła, te budy, ten obsyfiały dworzec oklejony wszelkim szajsem, jak wylatują w powietrze fragmenty sprzedawców pirackich płyt razem z zaawansowanymi technologicznie odtwarzaczami.

Uratowałbym tylko babuszki. One jedyne mnie wzruszały. Wyprowadziłbym je wcześniej z zaminowanego terenu. One jedyne – myślałem – zasługują na zbawienie. One są niewinne, to nie one do tego wszystkiego doprowadziły. Cierpią za miliony.

Babuszki, myślałem niesiony kacowym wzruszeniem, zasługują na wieczne życie w wiecznych drewnianych domkach okolonych wieczną gęstą zielenią. Babuszki zasługują na wieczne spacery do sąsiadek z koszykami po jajka i na wieczne siedzenie na zydlach przed płotami. Na wieczne noszenie kwiecistych chust i fartuchów i na wygrzewanie się w wieczystym słońcu. Na wstawanie rześkim rankiem i śpiewanie sobie psalmów przy krzątaniu się w kuchni.

Babuszki zresztą, myślałem, to także jedyne istoty, które mogłyby coś zmienić. Bo są nietykalne. I tak się któregoś dnia stanie. Tak będzie. Któregoś dnia po prostu wejdą do Kremla, do siedziby prezydenta Ukrainy, do tego wielkiego klocka, w którym mieszka Łukaszenka, wejdą i nikt ich nie zatrzyma, bo nikt tutaj nigdy nie podniesie ręki na babuszkę. Wszyscy w tym kraju mogą się wzajemnie mordować, przywiązywać akumulatory do jaj kontrahentom biznesowym, wymuszać łapówki, tratować samochodami na przejściach dla pieszych, pogardzać, poniżać i rozpierdalać z kałachów, ale nikt nigdy nie podniesie ręki na babuszkę. Nikt. Nigdy.

I one wejdą do tych Kremli, do tych siedzib, na te dywany, pomiędzy te fikusy, wejdą przez nikogo niezatrzymywane, a potem z fałd kraciastych spódnic wyjmą pistolety i rozpierdolą głowy putinom, łukaszenkom, kuczmom, janukowyczom i całemu temu tałatajstwu, które wpycha narodowi głowę w gówno. Choć to i tak, obawiam się, niczego nie zmieni, bo niedługo później pojawią się klony tych putinów i łukaszenków, oni tu odrosną tak, jak odrastają głowy smokowi, bo mają tu odpowiednią glebę. Bo oni są nieodrodnymi synami swoich ziem, oni – jak w soczewce – skupiają w sobie to, co i tak tu jest i od czego się nie ucieknie.

Próbowałem dostać się na dworzec kolejowy. Musiałem się stąd wydostać. Tak, chciałem stąd spieprzać, ledwie przyjechałem. Jechałem na Krym. Taki miałem plan. Chciałem zobaczyć Krym zimą i pisać o nim gonzo. Tutaj też mogłem pisać gonzo – ale miałem kaca i kacowe lęki, a to było najgorsze miejsce na świecie na przeżywanie kacowych lęków.

Według mapki w przewodniku dniepropietrowski dworzec kolejowy znajdował się niedaleko autobusowego, na którym byłem. Wystarczyło kawałek przejść. Teoretycznie. Tyle że mapa mapą, a rzeczywistość była jak zaklęta – nie dało się stąd wydostać. Bo ledwie wysupływałem się z bebechów dworca, to wchodziłem w kolejne bebechy. Na jakieś betonowe rozjazdy, po których rwały obojętne łady żiguli i mafijne SUV-y. Albo w jakieś bezformia, miejsca, w których nie było wiadomo co, do czego i po co.

Podszedłem do taksówki. To była skoda. Facet chciał trzydzieści. Było mi naprawdę wszystko jedno. Ruszyliśmy.

– Wie pan – powiedziałem mu – nie musi mnie pan wieźć naokoło, żeby mi się nie wydawało, że przepłacam. Mniej benzyny pan spali, a ja i tak wiem.

– Dziękuję – powiedział kierowca, szczupły i wysuszony, przypominający wędzoną rybę ze straganu. – A wierzy pan – zagaił, zerkając na mnie w lusterko wsteczne – że żyjemy w czasach ostatecznych? Że planeta Nibiru jest już niedaleko?

– Wierzę – odpowiedziałem, zamykając oczy.

– Naprawdę? – był mimo wszystko trochę zaskoczony.

– Tak – kiwnąłem głową.

– To dobrze – bąknął i już byliśmy na miejscu.

– To już tu? – zdziwiłem się. Tym bardziej, że coś mi się kojarzyło, że mijałem ten budynek, ale jakoś od drugiej strony. Wiedziałem, że to blisko, ale nie, kurwa, aż tak blisko.

– Tu – odpowiedział taksówkarz-ryba.

– To jest, kurwa, złodziejstwo – powiedziałem. Taksówkarz powoli wyjął gaz ze schowka, ale oczy miał przepraszające.

– Przecież sam pan obiecał – powiedział głosem prawie płaczliwym. – Tak to bym pojechał naokoło...

Klnąc po polsku, wygramoliłem się z taryfy i wywlokłem plecak. Głowa mi pękała i ledwo stałem na nogach.

Założyłem plecak i ruszyłem w stronę wejścia, nad którym bzyczał neonowy napis „WOKZAŁ". Wnętrze było wypucowane i błyszczało. I było pustawe. Tylko żule półleżeli na świeżo wymienionych krzesłach w poczekalni. Wiercili się nerwowo, patrząc, czy aby nie nadchodzi milicja albo jedna z umundurowanych bojówek, które w całej przestrzeni posocjalistycznej nazywa się agencjami ochroniarskimi. W Polsce też.

W rogu hali kucała babuszka i handlowała gorzałą i piwem. Też się nerwowo rozglądała. Znów błysnęła mi myśl o klinie, ale pomyślałem, że to by był mój ostateczny upadek. I że niczym nie różniłbym się od tych żuli na ławkach. Westchnąłem więc i podszedłem do kasy.

– Do Symferopola – wychrypiałem, trzymając się pulpitu, bo nagle zakręciło mi się w głowie. – Najbliższy.

– O 23.30 – zaszczebiotała słodko malowana emerytka z różową ondulacją, eteryczną jak Duch Święty.

Była 13.00. Jęknąłem.

– Nie ma wcześniej? – spytałem.

– A co pan myśli – obraziła się emerytka. – Że ja co, pana dezinformuję czy jak? Jedno miejsce zostało. Chce pan?

– Zimą? – zdziwiłem się.

– Co zimą? – niecierpliwiła się. Makijaż miała taki, jakby sobie twarz od początku namalowała.

– Zimą tyle osób jedzie, że nie ma miejsca?

– Pan sobie za dużo pozwala – zauważyła. – Zarzuca mi pan kłamstwo. Zaraz wezwę ochronę.

Wziąłem ten bilet. Miałem pół dnia dla siebie. W zimowym Dniepropietrowsku. Alleluja.

Usiadłem na krześle. Parę oczek od żuli. Najbliższy z nich otworzył oko. Był tak zarośnięty, że nie wiadomo było, gdzie mu się kończy broda, a gdzie zaczynają brwi. Wyciągnął proszalnie rękę. Była w tym mechanika robota. Wstałem. Przeszedłem parę metrów. Usiadłem. I zobaczyłem napis: „VIP ZAŁ".

Potrzebowałem poczuć się lepiej, niż to wszystko dookoła wyglądało. Musiałem. Pchnąłem drzwi. W środku stały miękkie kanapy. Na stolikach leżały międzynarodowe czasopisma na temat pielęgnowania dużych pieniędzy i lajfstajlu.

Głęboko w rogu siedziała i przeglądała coś na tablecie panna, która – wszystko na to wskazywało – dostała się tutaj, wychodząc prosto z jednego z tych czasopism. Bo nie mogła dostać się z żadnego innego miejsca. Nie wyobrażałem sobie, że miała cokolwiek wspólnego z tym wszystkim, co znajduje się dookoła dworca i wiedziałem, że ona też nie chciała, żebym sobie to wyobrażał. Miała na sobie kozaki, pończochy, czarną mini, półpłaszczyk i wyglądała tak, jakby była jakimś hologramem siebie, a nie sobą samą.

– Trzeba zapłacić – powiedział gigantyczny ochroniarz, który bezszelestnie stanął mi za plecami – To sala płatna.

Zapłaciłem. Rzuciłem plecak na miękką kanapę. Dziewczyna posłała mi niechętne spojrzenie znad iPada. Zasrałem jej przestrzeń, wiedziałem to. W swoich zabłoconych butach, wiszących bojówkach i kurtce, która – o zgrozo – nie była czarna ani skórzana. Uśmiechnąłem się do niej, a ona znów spojrzała w tablet. Na twarzy miała takie obrzydzenie, że poczułem, jak mi samemu żołądek do gardła podchodzi.

Po pięciu minutach miałem dosyć. Z głośników leciała muzyka, która w zamierzeniu miała stanowić neutralne tło, ale nie stanowiła. Pogarda laski z tabletem łaziła po mnie jak stado karaluchów. Ochroniarz gapił się z wyrzutem na moje buty, jakby szukał z nimi kontaktu wzrokowego. Poza tym po prostu było nudno.

Zostawiłem plecak w przechowalni i wyszedłem na miasto.

Dniepropietrowsk, ach, Dniepropietrowsk. Było ciemno, mimo że było jasno. Powietrze było czymś ufajdane i miałem ochotę je przetrzeć. Snułem się prospektem Marksa i byłem zmęczony. Nie tylko ja zresztą. Wszyscy byli zmęczeni.

Dniepropietrowsk, ach, Dniepropietrowsk. Tu i ówdzie błyskały kawałki Zachodu, ale były pokryte tym ciężkim powietrzem jak sadzą. Osadzone w kontekście wschodniej pustki. Babcie sprzedawały czosnek przed przeszklonymi drzwiami biurowców, a te drzwi otwierały się za każdym razem, gdy podchodził do nich klient. Ochroniarze w czarnych mundurach nie mieli pomysłu na to, co ze sobą począć, więc łazili od do i z powrotem. Młodzi kadeci szkół oficerskich, wyglądający jakby się nagle zmniejszyli wewnątrz tych sowieckich czapsk i mundurów z wielkimi pagonami, strachliwie nieco przebiegali po ulicach. Wyglądali tak, jakby to ich trzeba było chronić, gdyby przyszło co do czego.

W restauracji, w której jadłem obiad, spotkało się przypadkiem dwóch grubych panów, którzy wyglądali na bardzo bogatych. Z twarzy widać było, że z niejednego pieca. Kajdany złote na przegubach, buty spiczaste – na bogato, widać. Jeden wszedł, drugi zaraz wstał i rzucił mu się w ramiona. Ślinili sobie policzki. Dopiero teraz zauważyłem, że każdy z nich był z ochroniarzem. Ochroniarz jedzącego siedział sobie i sprawdzał pocztę w telefonie. Ochroniarz drugiego pomachał mu wesoło. Przybili piątki. I tak sobie gadali, rycerz z rycerzem, giermek z giermkiem. Ochroniarzom najbezczelniej w świecie odznaczały się w kieszeniach pistolety.

Nad miastem górowało gigantyczne centrum żydowskie. Bardzo ostentacyjnie górowało i na miejscu konstruktorów bałbym się, że to woda będzie na młyn antysemitów. Ale konstruktorzy się widać nie bali.

W stojącej opodal synagodze było cicho. Wszedłem w tę ciszę, gdzie wszystkie kąty były proste, a ściany białe. Bima i amud wyglądały jak z dizajnerskiego sklepu na Piątej Alei. Byłem sam. Po chwili weszli starsi faceci w kapeluszach, z brodami i pejsami. Sala z miejsca napełniła się rejwachem. Dopiero po chwili się zorientowałem, że nie są wcale starzy, że to młodzi goście. O twarzach, które nie miały nic wspólnego z klasycznym, europejskim wyobrażeniem Żyda. Bo to były twarze młodych Amerykanów: perkate nosy, szeroko w szczękach, wąsko w policzkach – a te wąsy, brody i pejsy wyglądały jak doklejone. Pytlowali nowojorską angielszczyzną. Wszystkie zbitki spółgłosek wybuchały im na wargach, jak gdyby były posmarowane saletrą.

Nie chciało mi się z nimi gadać, ale im się chciało. Gdy mnie tylko zobaczyli – od razu podeszli. Rzadko, widać, ktoś tu do nich zachodził. I było o tym, o tamtym, o siamtym. No i skąd jestem. Powiedziałem.

– Polska! – zakrzyknął jeden z nich, z rudymi piegami na nosie. Wyglądał, jakby wyszedł prosto z serialu *Cudowne lata* i przebrał się za Żyda na Helloween. – Yakshemash! Borat mówił po polsku! Yakshemash! Kojarzysz?

Siłą powstrzymując się, by nie dać mu po ryju, wyszedłem z synagogi.

Wróciłem na dworzec, do VIP-zała. Znów musiałem zapłacić za wstęp. Panna nadal siedziała w tym swoim futrze, w tych kozakach à la muszkieter, w tym swoim suczym autficie, z tą swoją pogardą dla wszystkiego na tym świecie, co nie jest obwieszone diamentowymi koliami, co nie jeździ czarnym matowym hummerem ze złotymi kołpakami.

Wkurwiało mnie to. Wkurwiało mnie, bo ogólnie byłem wkurwiony. Wkurwiało mnie, bo wiedziałem, że ta panna pochodzi z jakiejś zarzyganej chruszczowki, w której gniotła się w jednym pokoju z całą rodziną, w której kibel przeciekał i woda się nie spuszczała, i wszystko się w rękach rozlatywało, wiedziałem, że codziennie rano chlupała w szaroburze swojego norowatego miasta, w którym nie było krzty piękna, tylko ten syf, smród, dół po horyzont, miasta z przerażającej antyutopii, która ciałem się stała, w którym nie można było prowadzić życia z prawdziwego zdarzenia, bo się brnęło po pas w gównie, w Mordorze, w elbońskim błocie.

Usiadłem przy barze i kazałem podać sobie wódkę na lodzie, z cytryną. Wypiłem ją i zażyczyłem sobie drugą. Nie spuszczałem już wzroku z dziewczyny. O, znałem je wszystkie, myślałem, pijąc trzecią i czwartą wódkę. Na przykład na Krymie, w toalecie przy płatnej – PŁATNEJ! – plaży w Ałuszcie. Szczyny tam pływały po kostki, śmierdziało jak w szambie, wszystko było w gruzach i pokryte centymetrową warstwą brudu, jakby estetyka – ta jedna z podstawowych potrzeb człowieka – po prostu była tam wyłączona. I one, piękne, smukłe gazele o wymalowanych pazurkach i mejkapie nie ścieranym nawet do kąpieli – właziły tam, w ten szlam po kostki, bo nie miały innego wyboru. I kucały w całym swoim pięknie nad zasranymi dziurami w ziemi, i srały, i szczały w te dziury, i w tym szlamie ze szczyn i szitu ślizgały im się japonki. A później wypełzały z tej gównianej dziury i dalej przechadzały się po plaży jak królewny z kiepskich bajek. Bo to była ich rzeczywistość, a innej nie miały. I mogły tylko jedno – nienawidzić tej rzeczywistości całym sercem. A wiedziały, że wszyscy inni wiedzą, dlaczego jej nienawidzą, nienawidziły więc też z rozpędu wszystkich innych.

Przy piątej wódce próbowałem złapać jej wzrok. Nie patrzyła. Unikała. Tylko te usta, te usta z pogardą. Na co ona tutaj czekała, myślałem przy szóstej, co ona, cały dzień zamierza, kurwa, czekać na pociąg? Nie mogła później przyjść? O co, kurwa, chodzi? – zastanawiałem się.

Postanowiłem ją o to zapytać. Co tam. Gdy zeskakiwałem ze stołka barowego – prawie upadłem. Podszedłem i mnie jednak zamurowało. Nie wiedziałem, co powiedzieć. Była śliczna, tandetna, ale śliczna, pokryta politurą jakby, zalaminowana, popatrzyła na mnie i wychodziło chyba na to, że zrobiła sobie coś z oczami, jakąś operację plastyczną, cholera wie, w każdym razie miała je powiększone, i to mocno, wyglądało to nienaturalnie, potwornie wręcz – mimo że pięknie, i zawiesiłem się nad nią, i zachwiałem, a wtedy ona zawołała ochroniarzy.

Dostałem wpierdol i jeszcze wyłudzili ode mnie 50 dolarów za to, że nie wezwali milicji. Bo milicjantom, tłumaczyli, musiałbym za molestowanie seksualne zapłacić po dwieście każdemu.

12. Havran Travel

Misza czekał już w Szeginiach. Ledwie zdążyliśmy przejść przez granicę.

– No kulegi – powiedział, bo mówił po polsku – kogo dzisiaj załatwiamy?

Hawran ruchem ręki zaprezentował Miszy czterech Polaków, którzy szli za nami, rozglądając się dokoła z zaciekawieniem.

– Andrzej – pokazywał palcem – Tomek, drugi Tomek, czyli Tomek Dwa, co z kolei sprawia, że pierwszy Tomek jest Tomkiem Jeden. I Maciek.

Misza skinął im głową. Mnie mrugnął okiem. Odmrugnąłem. Wyglądał jak zbój przydrożny. Kiedyś mi go już Hawran przedstawiał. Nie mam pojęcia, skąd go wytrzasnął – w każdym razie biznes, który razem robili, musiał być tego warty.

Polacy wymruczeli powitania.

Byli dość dziwną zbieraniną. Tomek Jeden na przykład, jak już się zdążyłem dowiedzieć w podróży, był członkiem rady nadzorczej jednego z krakowskich portali internetowych. Tomek Dwa był księgowym. Andrzej miał małą firmę turystyczną, a Maciek był właścicielem jednego z klubów na Kazimierzu.

Generalnie – ludzie z kasą.

– A ty co – spytał Misza – ty też zachocieł dzikawa wschoda?

– Teraz i zawsze, tylko nie tak, jak oni – odpowiedziałem, wskazując głową przyprowadzonych przez Hawrana ludzi z kasą. – Artykuł piszę.

Misza popatrzył pytająco na Hawrana. Hawran skinął głową.

– Spoko – odpowiedział. – Łukasz tylko zobaczy, co i jak. Mamy deal. Jeśli się da tak to opisać, żeby reklama była, to opisze. A jeśli nie, to po prostu nie napisze. To mój kumpel, znamy się od dziecka.

– Od dziecka, nie od dziecka – zastanawiał się Misza. Jak na takiego dwumetrowego bydlaka o pobrużdżonej twarzy, jakim był, miał dziwnie łagodny głos – ale to, co robimy, jest – kak skazat' – trochu nielegalne.

– A jego nikt nie traktuje serio – Hawran klepnął mnie po plecach, zanim zdążyłem cokolwiek powiedzieć – bo pisze nieprawdę. Zaufaj mi, Misza.

– No to za czym on z nami.

– Bo te jego nieprawdy dużo ludzi czyta i niektórzy myślą, że jednak jest w nich ziarno prawdy i tego ziarna szukają. I w ten sposób trafią na nas.

Misza wzruszył ramionami i wyglądało to tak, jakby góra wzruszyła pagórkami.

– Rób jak uważasz – odpowiedział – to twoja sprawa. Nu – zwrócił się w stronę Tomków, Andrzeja i Maćka – tak co, naczynajem, nie?

Gazika miał zaparkowanego parę metrów dalej, w uliczce między parterowymi domkami. Polacy rozglądali się ciekawie dookoła. Wymieniali się spostrzeżeniami. Andrzej uważał, że tu jest podobnie, jak w Polsce, i że on nie widzi większych różnic. Tomek Jeden mówił, że jednak czuje, że w powietrzu coś innego wisi. Tomek Dwa skonkretyzował jego myśl, ogłaszając, że tu jest bardziej „borciuchowato". Maciek natomiast gadał o „kulturze turańskiej" i komórką zrobił zdjęcie kopule cerkiewnej, którą mijaliśmy.

Na masce gazika Misza rozłożył serwetkę. Postawił na niej butelkę piercowki i słoninę pokrojoną w plastry. Póki co nie różniło się to specjalnie od wycieczek, jakie oferują Angolom w Krakowie co cwańsi Polacy. Bania, pub crawl i burdel na koniec. Ciekawy byłem, czy Hawran dziś też przewidział burdel.

Bo biznes, który prowadzili Hawran z Miszą, polegał na prostej rzeczy: zabrać paru nadzianych, łaknących egzotyki Polaków na weekend na Ukrainę i pokazać im „hardkorowy wschód".

Bania poszła, potem druga. Misza opowiadał kawały. Miał naprawdę dobrą bajerę, więc było nieźle. Sam się śmiałem. Śmiał się nawet Maciek, z którym – jak sądziłem – Misza będzie miał najwięcej kłopotu. Maciek był bowiem głupiomądry i wszystko wiedział lepiej. Ale Misza dawał radę, a Maćka robił jak chciał. Lepił jak plastelinę.

Po wódce Misza sięgnął do kieszeni i wyjął czarną tabakierkę z dozownikiem. Odkręcił od gazika lusterko, położył je na masce i posypał na nie z tabakierki siedem ścieżek białego. Polacy się roześmiali. Maciek zaklaskał w ręce.

– Co to? – spytał Tomek Dwa.

– Kokoszka, stara, dobra – odpowiedział Misza – spokojnie. Nie chcesz – nie musisz kokoszki.

– Chcę, chcę – zamachał rękami Tomek Dwa. – Nie no, tylko pytałem.

– Kto pyta, nie błądzi – odparł filozoficznie Misza. – Dajosz, drug – i wcisnął mu w dłoń zwinięty stuhrywnowy banknot.

Wciągnąłem jako trzeci. Uderzyło mnie w nos, zakręciło i spłynęło w dół gardła razem z glutami. Przełknąłem. Gorzkie.

Andrzej się rozglądał.

– A policja nie przyjdzie? – Spytał.

– Ja sam – odparł Misza, wyjmując legitymację z kieszeni – milicja.

Wszyscy zamarli, zmrożeni, nachyleni nad lusterkiem. Spanikowane spojrzenia wbili w Hawrana, który właśnie wycierał nos. Ten się uśmiechnął.

– Spokojnie – powiedział, klepiąc Miszę po ramieniu. – To chyba dobrze, że władza jest z nami, nie? Misza wyszczerzył zębiska. Dwa z nich były złote.

Ludzie z kasą wrócili do radosnego wciągania.

Wsunąłem do ust papierosa. Zacząłem klepać się po kieszeniach, szukając ognia. Hawran podstawił mi pod nos dłoń z zapaloną zippo.

– Prawdziwa? – spytałem, cicho wskazując brodą kieszeń Miszy, do której ten schował przed chwilą legitymację.

– Szczerze mówiąc, nie wiem – wesoło mruknął Hawran – mnie też zaskoczył.

Wiedziałem, że łże w żywe oczy.

Misza tymczasem opowiadał ludziom z kasą jakieś niestworzone historie o Szeginiach. Coś o przemytnikach, o tym, że wszystkie nowe domy ze wsi to stoją za pieniądze, jakie zarabia się na granicy, i to nielegalnie. Coś o strzelaninach, o przekrętach, o przekupstwie. Ja sam – mówił z dumą Misza – za pieniądze z łapówek dom sobie postawiłem.

– Dobry jest – szepnąłem do Hawrana, bo jednak musiałem przyznać.

– No – pokiwał głową.

Do gazika mieści się pięć, maksimum sześć osób, ale siedem też weszło. Czemu nie. Jechaliśmy jakimiś polnymi drogami, mijaliśmy ruiny kołchozowych zabudowań. Tak, tak. Kiedyś ruiny fabryk, kołchozów i magazynów będą równie romantyczne, co ruiny zamków. Zapadał wieczór i słońce wykrwawiało się na zachodzie. Chlustało wręcz krwią. Od strony wschodu niebo było czarno-granatowe. Wisiał na nim księżyc, tak gigantyczny, że wydawało się, jakby pędził w stronę Ziemi, by ją rozpieprzyć w drobiazgi. My jechaliśmy na południe. Kokaina działała i muzyka, którą Misza puszczał z radia, wydawała nam się miękka i aksamitna.

Misza prowadził, pociągając z flaszki. Czekałem tylko, gniotąc się pod Tomkiem Dwa, który siedział mi i Tomkowi Jeden na kolanach, kiedy Hawran wyjmie harmoszkę. Butelka krążyła po samochodzie. Misza wsunął kasetę w mordkę odtwarzacza i podkręcił głośność. Ryknął hymn ZSRR. Byliśmy już trochę pijani. Zaczęliśmy śpiewać. Maciek śpiewał po polsku: „Na chuj nam swoboda w sowieckich narodach, gdy nie ma co palić, gdy nie ma co pić".

Wyjechaliśmy w końcu na asfalt i zaraz była wieś. Domy pogalicyjskie, część murowanych, część drewnianych. Klepisko przed knajpą było rozjeżdżone. Widać było, że chłopaki kręcili tu bączki. Przed lokalem stała stuningowana łada żiguli i czarny mercedes. Oba samochody miały przyciemniane szyby. Na pokruszonych schodach siedzieli kolesie w dresach. Niektórzy do dresów założyli mokasyny.

– Znasz to miejsce? – spytałem Miszę.

– Słyszałem o nim – odpowiedział. – Jestem tu pierwszy raz.

– To po co tu przyjechaliśmy?

– A co za różnica – tu czy gdzie indziej? – spytał Misza, patrząc w sam środek moich oczu, które odbijały mu się w lusterku.

Chłopaki ze schodów zareagowali na zasadzie „UFO we wsi". Wszyscy gapili się na nas i to nie były przyjazne spojrzenia. Wargi układały im się w pogardliwe plujki. Wchodziliśmy po schodach jak młodzi więźniowie wpuszczani po raz pierwszy pomiędzy recydywę. Tylko Misza i Hawran szli wyprostowani i wyluzowani.

– Kurwa, co ja tu robię – usłyszałem, jak mamrocze Tomek Dwa.

W środku wyglądało to wszystko tak, że pożal się Boże. Stoliki i krzesła lepiły się od brudu. Ich kształty już tylko z grubsza przypominały te, które miały pierwotnie. Na ścianie wisiał absurdalnie wielki plakat, na którym wenecki gondolier przepływał pod Rialto.

Misza rozejrzał się po twarzach siedzących. Oceniał ich gabaryty, widziałem, jak hodowca ocenia gabaryty kupowanego bydła. Uśmiechnął się na koniec i splunął na podłogę. Kilku starszych facetów odwróciło wzrok. Twarze mieli poorane, swetry – sprute. Ale młodsi nie spuścili. Patrzyli na Miszę hardo. I na nas – z lekkim pobłażaniem.

Krew tak bębniła mi w skroniach, jakby głowa zaraz miała eksplodować.

Usiedliśmy przy jednym ze stolików. Rozkołysanych. Krzesła, miałem wrażenie, zaraz się pod nami rozlecą. Misza, nie podchodząc do baru, krzyknął na barmana. Ten, rad nierad, podszedł. Nic nie mówił, patrzył tylko. Miał wąsy i łysiał. W oczach błyszczało mu coś kurewskiego. Misza zamówił litr wódki i śledzie.

A potem to już się potoczyło.

Szczerze mówiąc, nie pamiętam momentu, w którym zaczął się młyn. Naprawdę, mam w tym miejscu coś w stylu przeskoczenia kadru. W jednej chwili siedzimy przy stole i walimy kolejną wódkę, a w kolejnym kadrze – jakiś łysy koleś wali mnie z dyńki w twarz i świat staje się czerwony.

Później poszło jeszcze szybciej. Patrzyłem ze zdumieniem, jak Misza wyjmuje swoją milicyjną legitymację i ryczy tak, że wszyscy prawie na zadach przysiadają. Tym bardziej, że z drugiej kieszeni Misza wyjął pistolet.

– Pod ścianę! – darł mordę po ukraińsku. – Wszyscy! Milicja! Milicja, suki, słyszycie!

– O kurwa, o kurwa, o kurwa – powtarzał Andrzej, blady jak ściana i z rozerwanym kołnierzem podkoszulki. Tomek Jeden miał krew rozsmarowaną po policzku, Hawran – wyglądało na to – nie dostał. Maciek wylazł zza baru, gdzie się schował, a Tomek Dwa stał, szeroko uśmiechnięty, na rozstawionych nogach, i mrugał wesoło do jednego z Ukraińców, który znalazł się pośród zgromadzonych pod ścianą z gondolierem i Rialto. Dresy, krótkie włosy, adidasy i mokasyny, opary alkoholu i zianie nienawiścią. Było ich tam czterech–pięciu. Po Tomku Dwa, księgowym, najmniej bym się tego spodziewał. Bo Ukrainiec, do którego Tomek mrugał, wyglądał na dobrze strzelonego. Nie był wysoki, ale krępy. Takich pobić jest najtrudniej. Pluł krwią na własną dłoń ze zdumieniem i patrzył na to, co wypluwał.

Misza też to zauważył.

– Ty – powiedział do krępego, celując weń pistoletem. – Chodź tu.

– A po chuj? – Krępy wytarł dłoń o czarne dżinsy, splunął na podłogę. – Co, zastrzelisz mnie, czy jak?

– Co się tu, kurwa, dzieje, Hawran? – warknąłem. Hawran rozłożył ręce z uśmiechem.

– To jest zaplanowane? – dopytywał się Maciek. Hawran położył palec na ustach i mrugnął.

– A po co mam do ciebie strzelać – roześmiał się Misza. Podszedł do krępego i nie przestając celować mu w twarz, wsunął mu dłoń do kieszeni. Po chwili ją wyjął – w palcach trzymał woreczek z kokainą.

– To twoje? – spytał z uśmiechem.

– Ty suko – twarz krępego była czystą nienawiścią. Wykutą, kurwa, w kamieniu. – Ty suko. Wiesz, że to nie moje.

– A patrz – odpowiedział Misza, zataczając dłonią szeroki krąg – a ja mam świadków, że to twoje. Nie?

Nikt nic nie mówił. Z głośników leciało rosyjskie disco i brzmiało to absurdalnie.

– No – powiedział Misza do krępego. – To idź teraz i go – wskazał na Tomka Dwa – uderz.

Tomek Jeden, Maciek i Andrzej podnieśli raban.

– Co to, kurwa, ma znaczyć! Myślałem, że nas stąd wyprowadzisz! Kurwa! Oddawaj moją kasę, ja się na takie gówno nie pisałem! – darli się jeden przez drugiego. Tymczasem Tomek Dwa, szeroko uśmiechnięty, splunął krępemu pod nogi.

– No chodź – wysyczał. – Chodź, kurwa, capie banderowski.

Krępy zerknął na Miszę, ten skinął głową – i krępy zaszarżował.

Wymiana ciosów trwała tylko chwilę, szybko splątali się w jakimś suple – trzymali się wzajemnie za włosy, ubrania – co się dało. Dyszeli sobie w twarze, próbując wyjechać jeden drugiemu z bańki.

– Już! Nic z tego nie będzie! – krzyknął Misza, odrywając Tomka Dwa od krępego. Jak masz na imię? – spytał go.

– Iwan – odpowiedział krępy. – Albo nie, Saszko. Albo czekaj, Grisza.

– Hawran – krzyknął Misza, nie spuszczając z niego wzroku – daj Griszy.

Hawran podszedł do niego z banknotem w dłoni. Pięćdziesiąt hrywien.

– Bierz – powiedział po ukraińsku.

Krępy patrzył przez chwilę na Hawrana z obrzydzeniem, po czym uderzył go w twarz. Hawran tylko częściowo zdążył się zasłonić, dostał mocno i poleciał pod ścianę.

Misza się tylko uśmiechał.

Krępy Iwan, Grisza, a może Saszko splunął Miszy pod buty. Ale jednak nie na buty.

– Ty kurwo – wycedził. – Co ty, kurwa, dla Polaków igrzyska urządzasz? Taka z ciebie szmata sprzedajna? Taki z ciebie Ukrainiec?

– Ja sowieckij czeławiek – odparł Misza z uroczym uśmiechem. – Nie chcesz się bawić, to spierdalaj.

Krępy jeszcze by splunął, ale nie miał czym. Popatrzył po nas zamglonym wzrokiem.

– Nie wyjedziecie stąd żywi – powiedział i wyszedł, trzaskając drzwiami.

Zza kontuaru wyszedł łysy i wąsaty barman.

– Wezwałem panu posiłki, panie władzo – oznajmił z jadem w oczach – żeby pan nie był sam. Już jadą.

– Kurwa – warknął Misza, przez którego twarz cień przebiegł. – Hawran, spierdalamy – rzucił po polsku.

– To nie jest milicjant! – krzyknął ktoś z tłumku pod ścianą!

Misza wystrzelił w sufit. Posypał się tynk, biała chmura skłębiła się w świetle nagiej żarówki. Wszyscy odruchowo przykucnęli i założyli dłonie na głowy.

– Wychodzimy! – krzyknął Hawran. – Raz!

No i wyszliśmy – Misza przodem, a my za nim, skłębieni jak kurczęta za kwoką. Szedłem ostatni i zdążyłem zarobić jeszcze kilka ciosów w tył głowy i kopniaka w dupę.

Pruliśmy asfaltem, aż się za nami kurzyło. Nikt nic nie mówił. Odwracałem się co chwila, żeby sprawdzić, czy nas nie gonią. Czy nie jedzie za nami stuningowana łada albo mercedes z przyciemnianymi szybami.

Nie jechały.

– To taki miałeś zajebisty pomysł na dziki, dziki wschód, Hawran? – odezwał się w końcu Maciek. – Gratuluję. Mam nadzieję, że rozumiesz, że chcę kasę z powrotem. No chyba że masz jeszcze jakieś atrakcje w zanadrzu?

– Miszę poproś – mruknął Hawran. – Misza ma.

Misza uśmiechnął się szeroko do lusterka.

13. Europa Środkowa, czyli niepodległość Zakarpacia

Na dworcu w Koszycach nikt nie miał pojęcia, o której odjeżdża autobus do Użhorodu. Według tabeli odjazdów powinien odejść już dwie godziny temu. Ondulowana kobieta w informacji rozkładała ręce. – To autobus ukraiński – mówiła tonem wyjaśniającym – różnie może być. Przyjeżdża, jak chce.

– To po co podaliście czas na rozkładzie jazdy? – spytałem.

– Coś trzeba było wpisać – wzruszyła ramionami ondulowana informacja. – Wie pan, jakiś porządek musi być.

W końcu przyjechał. Po równym i świeżym słowackim asfalcie przypłynął, skrzypiąc i kolebiąc się z koła na koło, autobus jakby wyrwany prościuteńko z Kusturicy. Otworzyły się drzwi i na schodkach stanął facet pasujący do sceny jak ulał: w białych mokasynach z czubem, białych spodniach i białej, rozpiętej koszuli. Brakowało mu tylko czarnych okularów i złotych bransolet gdzie się dało. Ale wąsy miał. W środku autobusu była już Ukraina: dobrze mi znane brudne firanki i zamknięte na głucho okna. Pani biletowa rozwiązywała krzyżówkę, uważnie i z namaszczeniem stawiając w okienkach cyrylickie litery. Dziwnie się czułem, wchodząc do środka i nie pokazując paszportu. Zupełnie, jakbym przekraczał zieloną granicę.

Im dalej na wschód, tym bardziej Słowacja rzedła. I, miałem wrażenie, malała. Na Słowacji zawsze wszystko wydawało mi się mniejsze i mniej poważne niż w Polsce, ewidentny wpływ geografii politycznej na mózg, ale im bardziej zbliżaliśmy się do jej wschodniego krańca, wydawało mi się, że kraj zaczyna wręcz zanikać. W końcu to był koniec świata. Było nie było. Z punktu widzenia Zachodu za Słowacją nie było już nic. Wysiadały GPS-y. Spadały satelity nawigacyjne. Śmiałek, który wytykał głowę za słowacką granicę, wsuwał ją w szarą pustkę. Jedyne, co tam mogło być, to błoto po horyzont. Elbonia. Wiecie, co to jest Elbonia? To wschodnioeuropejskie państwo z *Dilberta*. Każdy powinien kojarzyć *Dilberta*, bo to jeden z najbardziej znanych amerykańskich stripów komiksowych. I Elbonia z tego *Dilberta* to państwo od granicy do granicy pokryte błotem. Wszyscy jej mieszkańcy – brodacze w kożuchach i pasterskich czapach – brodzą w tym błocie po pas. Nic więcej w Elbonii nie ma. Błoto po horyzont i sine niebo. No i Zakarpacie nie chciało być częścią Elbonii. Chciało przyłączyć się do Europy Środkowej. A żeby to zrobić, potrzebowało ogłosić niepodległość od Ukrainy. Tak przynajmniej uważali ojcowie zakarpackiej niepodległości.

Wieści huknęły następujące: 5 grudnia pop Iwan, jeden z przywódców dość rozczłonkowanego ruchu niepodległościowego na Zakarpaciu, zamierza ogłosić niepodległość.

Spakowałem więc plecak, zdobyłem numery separatystów, poumawiałem się na wywiady i pojechałem. W Krakowie wsiadłem w pociąg do Koszyc. Oglądałem przez okno polską część Galicji. Przejechaliśmy góry i zmienił się świat. Codzienność, jak przy przekraczaniu każdej granicy, fiknęła koziołka do góry nogami. Do pociągu wsiedli młodzi Słowacy. Brali z półek pekapowskie czasopisma i śmiali się z polskiego języka. Chaos polskich miasteczek i bajzel szyldów i urządzenia zastąpił słowacki zgrzebny ordnunżek. No a później był przystanek autobusowy i Kusturica. I jechałem teraz przez wschodnią Słowację robić wywiad z elbońskimi separatystami.

Kierowca prowadził dość grzecznie. Bał się słowackiej policji. Tak mi mówił, bo usiadłem niedaleko niego. Z nudów. Czytać się nie dało, bo potwornie trzęsło, a Słowacja niknęła, wydawało się, że zaraz zniknie zupełnie. Naraz, w jakiejś cygańskie wiosze, kierowca wrzucił z czwórki od razu dwójkę, wszystko mu tam w autobusie skrzypnęło i skręcił w lewo. Wjechaliśmy na wąską gruntówkę otoczoną czymś w rodzaju slumsu – ale to nie był slums. To była dość wzruszająca romska próba naśladowania domów okolicznych Słowaków i Rusinów. Bo zabudowa lokalnych wsi miała swój charakterystyczny, lokalny styl. Nawet nowo budowane domy nawiązywały do tych starych. Cyganie też tak chcieli. Ktokolwiek powiedziałby coś niepochlebnego na temat ich prób społecznej integracji w tej wichurze na końcu świata – łgałby jak pies. Próbowali, tylko nie do końca im wychodziło. Te ich domy były ze dwa razy mniejsze niż domy „białych", nierówne; wszystkie gzymsiki i detale ulepiono z cementu i pobielono. Podwórka były błotnistymi basenami. Ale próbowali.

Nikt, zupełnie nikt się nie zdziwił, że autobus wjechał w cygańskie osiedle. Pasażerowie – poza mną sami mieszkańcy Ukrainy – gapili się obojętnie w brudne szyby. Trzy razy spytałem kierowcy, co my, do kurwy nędzy, robimy i trzy razy mnie olał. Zaparł się jak święty Piotr pana Jezusa. Drzwi się otworzyły i do środka wstąpiło kilku wąsatych chudzielców o smutnych ustach bez uśmiechu, jak Anna Maria patrząca w dal. Nieśli w dłoniach podłużne pakunki w tekturowych paczkach, które poupychali pod naszymi siedzeniami. Pod moim też. Nie wiedziałem, jak spytać po cygańsku, co przemycam. Po słowacku i rusińsku zresztą też. Po rosyjsku nie chciałem. A nawet, jakbym chciał, to i tak zapomniałem, jak jest „przemycać". Obrócili parę razy i było załatwione. Nikt nic nie powiedział. Dla wszystkich pasażerów było – widocznie – najzupełniej naturalnym, że w ten sposób sami stają się przemytnikami, i że w razie czego pójdą do więzienia, bo na każdej granicy na świecie jest tak, że co pod (albo nad) twoim siedzeniem, to twoje i płacz potem, ile chcesz. Ale – cóż – normy społeczne są ważniejsze od zdrowego rozsądku i też o nic nie spytałem.

Na granicy jak zawsze zeszły wieki. Słowaccy celnicy mieli gdzieś, co wywozimy, ale ukraińscy, w całym blasku posowieckiej biurokratycznej upierdliwości, przejrzeli każdą chyba szmatkę w bagażach podróżnych. Przetrzepali wszystko, oprócz pakunków pod siedzeniami. Te z jakiegoś powodu nikogo nie interesowały. Zdążył zapaść wieczór, a potem noc. Przemytnicy palili papierosy i rozmawiali o wielkim głodzie lat trzydziestych. Byłem, szczerze mówiąc, trochę zdziwiony. Stałem i obserwowałem księżyc, obok którego pojawiła się duża, biała plama. Wyglądała jak planeta na kolizyjnym kursie z Ziemią, jak w początkowych minutach *Melancholii* von Triera. Po jakimś czasie tłusty celnior w wielkim czapsku i z tak wielkimi pagonami, że gdyby go zepchnąć z dziesięciopiętrowa, toby uleciał na nich jak szybowiec, uznał, że dość nas namęczył. Oddał szoferowi paszporty, przybił z nim coś w rodzaju żółwika i mogliśmy jechać dalej.

Tak samo jak po przekroczeniu granicy między Polską i Ukrainą kontynuowała się tkanka starej, austriackiej Galicji, tak tutaj kontynuowały się stare Węgry. Były jednak pokryte zupełnie innym nalotem. Manifestowało się to między innymi tym, że rzeczywistość z miejsca przyspieszyła i stała się o wiele bardziej chaotyczna. Przestrzeń była o wiele bardziej zapuszczona. Przy wlotówce do Użhorodu stał wybudowany z cegieł i pomalowany na różowo zamek prosto z Disneya. Autobus jechał, omijając dziury na asfalcie.

Rozglądałem się po nocnym Użhorodzie. Jak na miejsce, w którym nazajutrz mieli ogłosić niepodległość, było tutaj raczej spokojnie. Nie widziałem samochodów obwieszonych narodowymi rusińskimi flagami. A powinny chyba jednak być, jeśli już się robi takie mecyje i ogłasza niepodległość. Tak to przynajmniej zawsze w niusach wygląda w telewizji.

A tu nic. Było ciemno i czasem tylko coś tę ciemność przecięło – łada jakaś albo SUV. Autobus podjechał na dworzec. Ciemność i zimno były prawie tak namacalne, jak patrole ochroniarzy w czarnych kombinezonach. Do betonowej bryły hotelu Zakarpacie, która tkwiła wetknięta w zmarzniętą rusińską ziemię jak sowiecki buńczuk, szedłem pomiędzy szarymi blokami osiedla. Grudy błota były zamarznięte i fajnie się je kruszyło butami. Minąłem coś, co wyglądało jak osiedlowy kiosk, ale okazało się budką, w której sprzedaje się święte ikony. Osiedlowy kiosk z prawosławną metafizyką. Też uważałem, że to jest właśnie to, czego potrzebuje to osiedle.

Szybko zrozumiałem, że Użhorod ma dwa centra. Jedno stare: niskie kamieniczki i całe węgierskie ujęcie cywilizacyjne. Węgierska kresowość, a przy okazji próba klecenia europejskiego lajfstajlu. Puby i knajpki, jeszcze trochę nieporadne, ale stawiane. Ondulowane kobiety w bezkształtnych ciuchach, objuczone zakupami w reklamówach – czyli wszechwschodnioeuropejska dominanta krajobrazowa – skusiły się jednak na hipsterską kawę w papierowym kubku i teraz sączyły ją, oparte nieśmiało o wysoki stolik wystawiony przed knajpę.

I drugie centrum. Nie tyle sowieckie, bo wtedy miałoby mimo wszystko jakąś formę, ale posowieckie. Czyli kompletnie bez głowy, sensu i kształtu. Gigantyczne skrzyżowanie, które na ćwierci dzieliło miasto. Po jednej stronie – betonowe osiedliszcze, po drugiej – hotel Zakarpacie, po trzeciej – jakieś idiotyczne centrum handlu, które wyglądało jak NIC i bez powodzenia próbowało się ukształtować w COŚ.

Po upadku komunizmu wydarzyło się coś potwornego, coś, czego istoty jeszcze nie nauczyliśmy się dostrzegać. Przed epoką socjalizmu w naszej części świata – czy to w Polsce, na Słowacji, czy na Ukrainie, czy w Rosji – była jakaś forma. Czy to narzucona przez zewnętrzne ośrodki kulturowe, czy to zrodzona wewnątrz (choć czym jest wewnątrz i czym jest zewnątrz? – tego nie wiedziałem). W czasach sowieckich forma też była. Najpierw socmodernizm, prosta kontynuacja tego, co działo się w międzywojniu, tyle że rozpompowana momentami do rozmiarów nie ludzi, a jakiejś ludzkiej megafauny. Na przykład tych dojebanych robotników wykutych w kamieniu i ulepionych z gipsu na frontonach budynków użyteczności.

Ale w latach dziewięćdziesiątych, gdy to wszystko w najlepsze padło na twarz i rozleciało się na tysiąc kawałków, okazało się, że pod spodem niczego już nie ma. Żadnej formy. Że nie potrafimy budować, tylko klecić. Ćkać jedno na drugie, wpierdalać się na chama w publiczną przestrzeń, z czym się tylko da.

Ech, co począć.

Czwarta ćwierć mieściła w sobie gigantyczną cerkiew z kopułami jak pozłacane cebule, wyrośnięte na jakimś hipernawozie. Cerkiew była malowana na czarno, złoto i różowo. Było to tak wielkie i tak brzydkie, i tak niepasujące do tego starego, rozkosznego Użhorodu, że aż chciało się płakać. I to tam właśnie przyjmował pop Iwan.

Stałem na balkonie hotelu, paliłem papierosa. Patrzyłem w dół, na łady, moskwicze i powyklepywane zachodnie samochody snujące się po skrzyżowaniu. Mimo że zapadł już zmrok, postanowiłem, że złożę wizytę popowi Iwanowi jeszcze dzisiaj.

Pop Iwan, cóż począć, pierdolił jak potłuczony.

Gdy przyszedłem, wjeżdżał akurat na plebanię swoim wypasionym, nawoskowanym, czarnym merolem. Wyglądał jak ucieleśnienie wszystkich stereotypów o katabasach. Wylazł z tego merola jak bandyta z filmu. Drogi zegarek i błyszczące buty. Broda elegancko utrzymana, włosy w kuc. Widać było, że to całe popowanie to dla niego po prostu dobry interes. Ciekawy byłem, czy popadia przypadkiem nie jest młodą blondynką z cyckami jak rakiety.

Zabrał mnie do chawiry, w której chyba tylko dziada z babą brakowało. I płakał, że państwo ukraińskie jest złe i niedobre, że oni, Rusini, to sól ziemi, prawdziwi Europejczycy, robotni i ogarnięci, a Ukraińcy to całe zło ziemi, leniwi i w ogóle. Wywodził, że Europa kończy się na Karpatach, a Rusini żyją na Karpatach, mogą więc Europy bronić, czemu nie. Tak więc – kazał pop Iwan – Europa musi jak najszybciej nie tylko uznać niepodległe Zakarpacie, ale i przyjąć je do Unii. Bo jeśli tego nie zrobi, to będzie oznaczało, że Europa sama nie wierzy we własne ideały i że jest sprzedajną kurwą.

– I co wtedy? – spytałem.

– I wtedy – odpowiedział pop Iwan, uśmiechając się uśmiechem Antoniego Macierewicza – trzeba będzie nam do Moskwy.

Wychodziłem z cerkwi przekonany, że świat, po którym łażą takie cuda jak pop Iwan, jest skazany na zagładę.

W knajpie hotelowej panny udawały zimne suki, a kolesie – bandziorów. Wszyscy byli w swoich rolach tak przekonujący, że – byłem pewien – naprawdę wierzyli w tę sukowatość i to bandziorstwo.

Na drugi dzień, w jednym z barów w starym mieście, spotkałem się z innym przywódcą ruchu niepodległościowego. Ten był dentystą, nazywał się Sidoruk i był bardzo porządnym i smutnym człowiekiem. Umówił się ze mną według czasu środkowoeuropejskiego, czyli godzinę wcześniej, niż wskazywały wszystkie zegary na Ukrainie, bo nie uznawał kijowskiego czasu. On naprawdę urodził się po niewłaściwej stronie linii Huntingtona. – Kijowa od nas nie widać – tłumaczył smutnym głosem – Karpaty zasłaniają. Jesteśmy – mówił – częścią innej przestrzeni. Słowacja. Węgry – mówił. – Jesteśmy po prostu kolejnym małym, środkowoeuropejskim krajem, który ktoś kiedyś okrutnie przyszył do obcego cielska – twierdził, i miałby rację, gdyby to cielsko nie dokonało już przerzutów. Bo najpierw ZSRR, a później Ukraina zainstalowały się tutaj mocno, bardzo mocno. Ale rozumiałem Sidoruka, jak mogłem nie rozumieć. A on mówił o tym, że gdy Grenlandia chce się oderwać od Danii, to przyjeżdża duńska królowa do Nuuk i błogosławi niepodległościowcom. Że gdy Szkocja nie chce już być częścią Wielkiej Brytanii, to premier powołuje specjalną komisję i razem ze Szkotami kombinują, jak to wszystko najlepiej ogarnąć. A u nas – Sidoruk jedną ręką wykonał gest dramatyczny, a drugą wyjął z teczki wezwania na milicję i rzucił na stół. Faktycznie, trzepali go regularnie.

Z Sidorukiem upijaliśmy się na smutno. Żłopaliśmy kawę z koniakiem, patrząc, jak o szyby deszcz dzwoni, deszcz dzwoni jesienny, i jak – powoli, bo powoli – Europa Środkowa wraca tam, gdzie jej miejsce. Patrzyliśmy na powęgierskie secesyjne kamieniczki, na most nad Użem, na kamienne nabrzeże. Sidoruk opowiadał, że trzeba budzić w ludziach świadomość narodową, by nadrobić te sto pięćdziesiąt lat różnicy w takim budzeniu pomiędzy Rusinami a innymi narodami. Że trzeba sprawiać, by rusińskość kojarzyła się ze środkowoeuropejskością i przez to – zachodnim wyborem cywilizacyjnym. Mówił to wszystko zupełnie bez przekonania.

Tymczasem zmierzchało się już i patrzyłem, jak knajpa zapełnia się młodymi ludźmi. Połowa z nich ubierała się „po rusku" – w dresy, czapki-kaszkietówki i skórzane kurtki. Drugą połowę stanowili ci, którzy nosili się „zachodnio": skejci, grandże, metale, jacyś raściorzy dredziaci – i wszelkie możliwe kombinacje powyższych.

Sidorczuk mówił melancholijnie, usypiająco, i im więcej pił koniaku, tym się smutniejszy wydawał.

Wracałem od Sidorczuka cały spięty od kawy i rozgrzany od koniaczku. Przed osiedlowym kioskiem z ikonami i prawosławnymi dewocjonaliami siedział facet, który w nim sprzedawał. Rozłożył się na kilku podłużnych, betonowych płytach (absolutnie niewiadomego przeznaczenia). Zachodziłem tam już wcześniej i wiedziałem, że ma na imię Wasyl, i że rodem jest z Kijowa. Jak ze stołecznego grodu wylądował w Użhorodzie – Wasyl mówić nie chciał. Bąkał tylko coś o „dopuście bożym", „poddawaniu się woli Pana" i – generalnie – rzeczy w tym guście. Czyli – czułem – zrobił dziecko, komu nie powinien albo narozrabiał na dzielnicy. W każdym razie – Wasyl palił sobie przed tym swoim kioskiem ognisko. Był to, dodajmy, środek miasta. Ognisko Wasylowe nikogo jakoś nie dziwiło. Ludzie przechodzili mimo, gliniarze też musieli przejeżdżać, bo kilka metrów od Wasyla biegła główna arteria Użhorodu. Nikt się nie czepił. Ot, siedzi chłopina przed kioskiem, to i ognisko sobie zapali. Grudzień jest.

Przystanąłem obok. Byłem nieco podpity i w tym stanie jeszcze jakoś nie chciało mi się iść do hotelu.

– Można? – spytałem Wasyla.

– Można – Wasyl przesunął się kawałek, robiąc mi miejsce na stercie płyt. – Czemu nie. Coś do picia masz?

Święty człowiek – pomyślałem w sercu swoim – zaprawdę. Od razu do kwestii duchowych.

– Mam – odpowiedziałem – i wyciągnąłem zza pazuchy flaszeczkę koniaku, którą mnie obdarował na pożegnanie Sidorczuk. Wasyl wziął flaszkę w dłoń i przyjrzał się etykiecie.

– Sikacz – westchnął. – Ale co tam. Wstał i wszedł do świętego kiosku, po czym wychynął stamtąd, niosąc w dłoni dwa przepisowe kieliszki do koniaku, zwężone u góry, by zbierały bukiet. W drugiej dłoni trzymał papierek, a w papierku – pokrojoną na plasterki cytrynę. Rozlał, wrzucił po plasterku – i stuknęliśmy się.

– Twoje – powiedział.

– Nie – odpowiedziałem – twoje.

– No dobra – odrzekł – nasze.

– Okej – zgodziłem się i upiliśmy.

– Co ty, Wasyl – spytałem po chwili milczenia – myślisz o niepodległości Zakarpacia?

– Jakiej, w pizdu, niepodległości? – westchnął ciężko Wasyl.

– No – odpowiedziałem – sam mówisz, że to pop Iwan utrzymuje ten kiosk. Z pieniędzy cerkwi. Więc to twój pracodawca. A on nic, tylko o niepodległości mówi.

Wasyl popatrzył na mnie z pobłażaniem, jak na wiejskiego głupka.

– Wiesz – powiedział. – Wy na zachodzie to dziwni jesteście.

– No wiem – przyznałem. – A im dalej na zachód, tym dziwniej.

– Ja was, kurwa, nie rozumiem. Czemu wam tak zależy na tym, żeby Ruscy byli osobno, żeby osobno Ukraińcy byli, Białorusini, Czarnorusini, nie wiem, Zielonorusini, Sraczkowatorusini, sami Rusini też… dlaczego?

Wzruszyłem ramionami.

– Nie wiem – powiedziałem. – Zawsze mi się wydawało, że to jakoś tak samo przez się… – zawiesiłem się. – Nie wiem – powiedziałem w końcu.

– To ja ci powiem – odparł. – Bo wam się sowiecki człowiek nie podoba. W Jugosławii to samoście zrobili. Była Jugosławia, dobrze było, ale nie – trzeba było zrobić apiać Chorwatów, Bośniaków, Słoweńców, czorta samego. A było dobrze! Był internacjonalizm! Narodów nie było i była zgoda! A wy sobie, sami, po cichu, w tej waszej Unii Europejskiej internacjonalizm wprowadzacie! Czyli jak to jest – żryjcie się ze sobą, Słowianie, żryjcie, bijcie się jako Ukraińcy, Białorusini – a sami, hop: wspólnota europejska, Jewsojuz. To jak to jest!

– Hm – powiedziałem.

– Samżeś jest hm – odpowiedział Wasyl.

Następnego dnia, wyduldawszy cała butelkę wody niegazowanej marki „Naftusia", poszedłem robić badania terenowe. W tym celu wybrałem się na postój taksówek, z których jak zawsze wybrałem najstarszą i najbardziej rozdupczoną, jak zawsze wychodząc z założenia, że będzie najtańsza.

Taksówkarz miał na imię Jurij, był starym, brodatym Ukraińcem i pochodził z Truskawca. Zgodził się przewieźć mnie przez Zakarpacie za stosunkowo niewielkie pieniądze. Plus gaz, bo na gaz miał samochód. Pojechaliśmy zatankować. Cała ta jego gazowa instalacja wyglądała niezbyt pewnie, i gdy chudy, smutny, wąsaty facecik o kobiecych oczach napełniał panu Jurijowi zbiornik, spytałem, czy nie wybuchnie.

– A może wybuchnąć, kto to wie – odpowiedział pan Jurij.

– A często wybuchają? – dopytywałem się.

– Całkiem często – pokiwał głową.

Od pana Jurija dowiedziałem się, że nie tylko nie ma żadnego sensu odrywać Zakarpacia od Ukrainy, ale w ogóle dobrze by było przyłączyć do Ukrainy całą Polskę.

– O – odpowiedziałem – ho ho.

– No tak – mówił pan Jurij, prowadząc samochód samym środkiem szosy, zjeżdżając na prawą stronę dopiero w tej sytuacji, w której uniknięcie czołówki z nadjeżdżającym z przeciwka wyglądało już na niemożliwe – Polska bowiem stworzona została, jak sama nazwa wskazuje, przez Polan, a Polanie to plemię tożsame z innym plemieniem Polan, którzy swoje historyczne siedziby mieli pod Kijowem. Ja, panie kochany – pan Jurij wbił sobie kciuk w pierś – w Truskawcu byłem nauczycielem historii. Inną mi, co prawda, historię kazano wykładać, ale swoje wiem, bo własne robiłem badania, do własnych wniosków doszedłem.

We wsi, którą właśnie mijaliśmy, napisy na sklepach i domach były po słowacku.

– Tak więc – glosił pan Jurij – cała Polska winna powrócić do Macierzy, a z Polaków należy uczynić narodowo uświadomionych Ukraińców, przechrzczonych na prawdziwą wiarę chrześcijańską, która, swoją drogą, pochodzi z drugiego, a nie pierwszego Rzymu. Unię z papiestwem należy odrzucić, a następnie przyjąć nową, tym razem na słowiańskich zasadach.

– Ho, ho – pomyślałem. – Ho, kurwa, ho.

– Ale to nie koniec – ciągnął pan Jurij – po włączeniu Polski do ojczyzny, ukraińska Słowiańszczyzna zostanie zjednoczona i uzyska dostęp do portów Bałtyku, i – co ważne – do świata germańskiego. Razem, połączywszy siły z polskim żywiołem ukraińskim, wyrąbiemy sobie wrota do Morza Północnego, opanowując Hamburg (stary, słowiański Gamonograd). Nasze będą także Berlin (Kopanica), Lubeka (Bukowiec), nie wspominając o tak oczywiście słowiańskich miastach, jak Roztoka, Wyszomir, Zwierzyn, Strzałów, Lipsk, Drezno, Budziszyn, Chociebuż czy Biała Woda.

Wieś słowacka się skończyła. Jechaliśmy pomiędzy oszronionymi, grudniowymi łączkami. Po wzgórzach ciągnęły się bezlistne zimą winnice. Było tu tak środkowoeuropejsko, jak tyko można sobie wyobrazić.

– W następnej kolejności – przemawiał pan Jurij – trzeba wykonać robotę uświadamiającą na południe od Karpat, przyłączając do wielkiej, ukraińskiej rodziny te narody, które z ziemi ukraińskiej wyszły, czyli wszystkie pozostałe europejskie narody słowiańskie: Czechów i Słowaków, którzy, notabene, są po prostu wyciągniętą macką Ukrainy w stronę Europy Zachodniej, bo to kontinuum językowe, patrz pan – ukraiński płynnie przechodzi w rusiński, rusiński – w słowacki, a słowacki – w czeski. Przy okazji, jesteśmy właśnie we wsi rusińskiej.

Rozglądałem się. Wieś jak wieś. Niskie domki, płotki, wyschnięte drzewa i krzaki, szkielet tej letniej zieloności, którą wszystko tutaj bucha.

– Niech pan się zatrzyma – poprosiłem. – Pochodzę, popytam.

Na ulicy prawie nikogo nie było. W sklepie tylko dopadłem kilka babuleniek, które na wzmiankę o niepodległości przeżegnały się krzyżem świętym. Jeden chłop, który, śmiertelnie znudzony, palił papierosy przy bramie, powiedział, że niepodległość to może nie, ale do Węgier to by się dobrze było przyłączyć.

– Tam Orban – mówił. – Silny pan.

– A wyście Węgier? – spytałem.

– Ja nie – odparł – ale sto lat temu to żeśmy wszyscy byli Węgrzy.

– A Węgrzy – zapytałem – gdzie teraz tu na Zakarpaciu żyją?

– A w sąsiedniej wsi – facet wskazał kostropatym paluchem południowy zachód.

– Chorwatów musimy uświadomić – kontynuował pan Jurij, gdy wróciłem do samochodu i podałem namiary na węgierską wieś – Serbów, Bośniaków, których się odturczy, Macedończyków i Bułgarów. Bo to wszystko Ukraińcy, oni wszyscy z tej ziemi wyszli. Ale nie tylko oni. Wszyscy Indoeuropejczycy z tej ziemi wyszli, z Ukrainy. Tu była praojczyzna, urheimat. No więc gdy otoczone przez żywioł ukraiński narody niesłowiańskie Europy Środkowej spostrzegą swoje położenie, same przypomną sobie o ukraińskich korzeniach i nawrócą na właściwą tożsamość. Austriacy i Węgrzy przypomną sobie, że są – odpowiednio – zgermanizowanymi i zugrofinizowanymi Słowianami panońskimi. W następnej kolejności przyjdzie czas na Rumunów, którzy niby są potomkami Daków i mówią narzeczem łaciny, ale tak zeslawizowanym, że z łatwością można je nazwać „łaciną słowiańską". Ich też można przyłączyć do panukraińskiego imperium, choćby na zasadach ciekawostki. Poza tym wyznają greckie chrześcijaństwo, więc na tej płaszczyźnie znaleźć będzie można wspólny język. Trochę się ich ucywilizuje, no i w ten sposób dokona się symboliczne połączenie starego Rzymu i Słowiańszczyzny, która przejęła jego tradycje i wiarę...

– A Rosja? – przerwałem mu.

– No, z Rosją są kłopoty – przyznał pan Jurij – bo Moskale to z jednej strony jak najbardziej kulturowi potomkowie Ukraińców, choć nie do końca kość z kości, bo to zeslawizowani Ugrofinowie. Z jednej strony miło by było rozszerzyć imperium po Chiny i Pacyfik, ale z drugiej jednak Moskale to takie chuje, że trudno sobie wyobrazić – oznajmił i dodał gazu.

– Wystarczą nam problemy z ukrainizacją całej Ukrainy – kontynuował po chwili – żeby jeszcze pierdolić się z tymi kacapami jebanymi.

– O – powiedziałem. – Koszula bliska ciału, widzę. Bo Czechów i Bułgarów będzie łatwiej zukrainizować?

– Wcześniej czy później trzeba będzie podjąć trud ukrainizacji Rosji – odburknął pan Jurij – ale póki co należy oddzielić się od nich kordonem sanitarnym, by krew i kultura kacapska nie zakaziła naszej ukraińskości. Amputacja – wywodził, zmuszając kierowcę, który pędził z naprzeciwka, by władował się na pobocze, omal nie wpadając w poślizg – jest zabiegiem straszliwym, ale koniecznym. Dlatego odciąć należy ukraińskie, ale zarażone moskalską gangreną członki: zrusyfikowane części Ojczyzny. Dlatego odciąć trzeba zruszczony Donbas i Krym, a nawet Odessę. Na szczęście jednak Ukraina, nie tak, jak ułomne człowiecze syny – głosił – ma możliwość regeneracji swojego ciała. Gdy ozdrowieje ze skacapienia, odrośnie jej Krym, odrosną Budziak z Odessą, odrosną Zadnieprze, Charkowszczyzna, odrosną nawet Kubań i Czerkiesja. Przyrośnie jej cała Ruś święta, niezależnie od tego, czy to Moskwa, Ruś Czarna, Biała, czy zauralskie pustacie… – przemawiał pan Jurij. – O – powiedział – masz pan węgierską wieś. Jesteśmy.

Na sklepie widniał węgierski napis łacinką. Na krzyżu przy kościele – też. Domy wyglądały węgiersko. Właściwie powinno to być dużo, ale jakoś nie było. Bo czuło się tu poradzieckość. Ta poradzieckość kaziła środkowoeuropejskość i – choć próbowałem – nie potrafiłem się tu poczuć jak w Środkowej Europie.

– Patrz pan tam – wskazał mi taryfiarz jakieś dachy kryte czerwoną dachówką – to już Węgry.

– Węgry – powtórzyłem bezwiednie.

Na motocyklu przyjechało dwóch chłopaczków. Wpyrczeli swoim starym trupem na majdan przed kościołem i stanęli. Oglądali silnik, głośno rozmawiając po węgiersku. Wyglądali jak ich rówieśnicy stąd, nie z Węgier.

– Chłopaki – spytałem po rosyjsku – chcielibyście wyjechać na Węgry?

Podnieśli głowy.

– Co? – spytał jeden z nich, z zadartym nosem i wyszczerzonymi nieco zębami. – A na chuj?

– Nie wiem – odpowiedziałem. – Mówicie po węgiersku, to myślałem, że chcecie na Węgry.

– Jakbym się tam urodził – odpowiedział drugi, łapiąc się pod boki – tobym tam mieszkał. Ale się tam nie urodziłem, i to już zupełnie inna sprawa. Co z tego, że jestem Węgier.

– To z tego, że jesteś Węgier.

Roześmiał się. Splunął na brudny, już nie środkowoeuropejski piach.

– Jestem inny Węgier niż tamci. Mój ojciec dostał od Orbana paszport, pojechał pracować. Mówi – posiedzę rok, ściągnę was. Wrócił po miesiącu. Mówili do niego, że jest Ruski. To po chuj ja tam mam jechać?

– A tutaj? – spytałem, myśląc o Tarasie.

– A tutaj jestem Węgier i chuj to komu przeszkadza – wzruszył ramionami chłopaczek i znowu ukląkł przy silniku.

Znów się zrobiło trochę środkowoeuropejsko, a tam, za rzeką, na Węgrzech – jakby mniej.

Ale to wszystko było ulotne. Tak ulotne, że w zasadzie chciałem już to z siebie strzepnąć, ale nie mogłem. Zamiast tego szedłem w stronę granicy i coraz wyraźniej widziałem węgierskie dachy, dachy prawdziwych Węgrów, którzy żyją na prawdziwych Węgrzech i coraz większe miałem wrażenie, że im bardziej zbliżam się do granicy, tym mocniej dotykam tego, co Wachowscy nazwali „błędem w Matriksie”.

14. Orientalizm

Powoli przestawałem mieć o czym pisać.

Ukraina zaczęła stawać się po prostu coraz bardziej drażniąca.

Taki Lwów na przykład. Był coraz bardziej podobny do zwykłego polskiego miasta. Sprzed kilku lat, powiedzmy. Zniknęła z niego cała ta posowiecka egzotyka. Był tu już tylko dziki kapitalizm, szyldoza, powarkiwanie bab w sklepach, chamstwo kierowców i milicjantów, nieogarnięcie, korupcja, smród spalin i udawanie, że robi się cokolwiek dla wspólnoty, podczas gdy jeśli ktokolwiek coś robił, to robił to wyłącznie dla siebie.

Albo taka Odessa. To już nie było to samo. Pojechałem tam i zaraz chciałem wracać. W całym mieście nie było gdzie usiąść. Ławki w parkach okupowali bezdomni, a w centrum – wymalowanym teraz grubą warstwą farby – ławek po prostu nie było. Można było tylko siedzieć w knajpach przy drogim i kiepsko zrobionym frappe. Albo przy równie drogim piwie. Zachodnim koniecznie. Najtańsze niemieckie piwo sprzedawano tu za taką cenę, że jego niemiecki producent zapadłby się z zażenowania pod ziemię, gdyby się dowiedział. Wszyscy udawali, że należą do innego świata, niż należeli. Cieszyli się, że ich świat się zmienia. Oczywiście, że ich rozumiałem, bo tak samo się cieszyłem, gdy zmieniała się Polska. Nadal się cieszę. Moje wkurwienie było podłe i egoistyczne, ale czułem je, i to mnie wkurwiało jeszcze bardziej.

W parku, na trawie, też nie dawało się usiąść, bo trawa była doszczętnie wytarta. Poza tym sucha i żółta. I wszystko zasrane przez psy. No właśnie, psy. Każdy z osobna bez kagańca i bez smyczy. I każdy wielki jak prywatny smok. I ochroniarze – wielkie karczory w czarnych kombinezonach opatrzonych naszywkami z jakimiś skrzyżowanymi mieczami, pałami, ganami – przeganiali.

Ostatni raz, gdy byłem w Odessie, trwał akurat festiwal filmowy. Siedziałem w jednej z knajp przy Derybasowskiej, piłem piwo i patrzyłem, jak złażą się tu gwiazdki ukraińskich seriali. Jak rój much unosili się nad nimi paparazzi.

Gwiazdki rozsiadły się przy okolicznych stolikach. Zagęściło się od tych wszystkich gestów, od tego wystudiowanego zdejmowania okularów, od zakładania nogi na nogę. Od tej całej satysfakcji bycia znanym i rozpoznawalnym. Zwykli ludzie tłoczyli się na ulicy, poza ogródkiem, i robili zdjęcia komórkami. Patrzyli z podziwem i pożądaniem, lizali lody przez szybkę.

I nagle do ogródka wmaszerował oddział amerykańskich marynarzy. Przypłynęli do portu i mieli wolne. Z miejsca zakręcili się wokół celebrytek. Nie mieli pojęcia, kim są. Po prostu potraktowali je jako prosty wschodnioeuropejski towar do wyjęcia. I towar dał się Amerykanom wyjąć. Dość prosto. Ludzie na ulicy patrzyli na to z takimi minami, jakby mieli się zaraz porzygać. Pochowali komórki i rozeszli się do domów.

Albo miasto Chmielnicki, które stworzone było tylko i wyłącznie po to, by wkurwiać. Chmielnicki przypominał raczej więzienny spacerniak niż miasto – równie przyjemnie się po nim spacerowało i równie było przyjazne. Do wszystkiego można się jednak przyzwyczaić, więc do życia za karę pewnie też można.

W tej całej kruszejącej i obezwładniającej burocie jedynym kolorowym elementem były reklamy. Do – na przykład – jednej z gruntownie rozpierdolonych kamienic przytwierdzono gigantyczną płachtę, tak – mniej więcej – dziesięć na piętnaście metrów. Na tej płachcie nadrukowano obraz jakiejś modrej laguny – palmy, wzgórza, biały piasek, laski w bikini. Wyglądało to jak wrota do innego wymiaru, dziura czasoprzestrzenna przebijająca rzeczywistość na wylot.

Tutaj można było jarać się lokalnym hardkorem, jak jaraliśmy się my, biedni, pijani durnie z kalekiego kraju, którzy cieszyli się, że udało im się znaleźć jeszcze większą kalekę od siebie.

Powiedziałem to kiedyś Tarasowi. Siedzieliśmy wtedy w lwowskiej knajpie wystylizowanej na ziemiankę UPA, gdzie przy wejściu trzeba było powiedzieć „sława Ukrainie", a kelnerzy nosili banderowskie mundury. Zdążyliśmy już upić jakiegoś upierdliwego pracownika polskiego konsulatu, który płakał, ile to Polska robi dla Ukrainy i jaka to Ukraina niewdzięczna, i jak polską rękę kąsa. Urżnęliśmy go tak, że gdy wychodził, to zakładał płaszcz na nogi, a po schodach lazł na czworaka. No ale przy okazji urżnęliśmy się sami.

– Miałeś rację, Taras – mówiłem. – Tu nic nie ma. To po prostu normalny kraj. Tylko że chujowo urządzony.

Taras zmrużył oczy.

– Po prostu zacząłeś patrzeć na Ukrainę oczami Ukraińca. A póki co, to jak – przyjeżdżałeś tu na safari? Przez ten cały czas?

– O rany...

– Co, orientalizm, tak? Egzotyka? Przyjeżdżałeś tu jak do zoo?

– Nie – skiepowałem papierosa w popielniczce i natychmiast odpaliłem nowego. – Nie – powiedziałem jeszcze raz i dalej już nie wiedziałem, co powiedzieć.

– To mnie interesuje – odpowiedziałem po chwili.

– A dlaczego cię interesuje?

– Rany – odparłem – bo jest interesujące.

– Ale co w tym interesującego? W rozpieprzeniu? W biedzie?

– Jezu, Taras – powiedziałem. – Wszystko można w ten sposób zdekonstruować, to nie tak...

– Co, egzotykę w biedzie dostrzegłeś i dlatego cię zainteresowało?

– Kurwa, człowiek potrzebuje... orientalizmu – podjąłem jednak po chwili. – Romantyzmu jakiegoś...

– Człowieku – Taras rozparł się na krześle. – Co ty gadasz. My tu żyjemy, to jest nasza rzeczywistość. My tu mamy swoje lęki, swoje nadzieje. Co więcej, my, kurwa, musimy tę rzeczywistość jakoś starać się polubić, żeby nie zwariować.

Traktować ją serio. Z całą powagą. Bo innej nie mamy. A ty, mój, kurwa, tak zwany polski przyjaciel, mówisz mi, że przez cały czas patrzyłeś na mnie i moich rodaków, na cały mój kraj – jak na małpy w zoo?

– Nie, nieprawda – powiedziałem. – Nakręcasz się. No to co, jeśli ktoś się interesuje Indiami czy Afryką, to znaczy, że jest sępem, który sobie lubi popatrzeć na ludzkie cierpienie?

Już kiedy wypowiadałem te słowa, miałem ochotę tak się w język ugryźć, by go odgryźć i wypluć.

– Afryka? – spytał powoli Taras. – Indie?

– Kurwa – powiedziałem z rezygnacją, kiepując szluga w popielniczce.

– Czy ty w ogóle starałeś się cokolwiek zrozumieć? – Taras faktycznie się nakręcał. – Czy ty w ogóle patrzyłeś na nas jak na ludzi, czy – wycelował we mnie oskarżycielsko ognik papierosa – czy po prostu syciłeś się tu tym swoim Schadenfreude?

– Jakim, kurwa, Schaden... – zacząłem, ale mi przerwał.

– Sam mieszkasz w chujowym kraju, chujowszym od większości innych krajów w okolicy. Tylko nie od mojego. I dlatego, żałosny dupku, przyjeżdżasz tutaj lepiej się poczuć?

– Już to gdzieś słyszałem, ale...

– Ale co? Ale uznałem, że to jest okej? Kurwa, to całe twoje pierdolenie, jak to „Ukraina jest podobna do Polski, tylko bardziej”... To o to ci chodziło, chodziło ci o, kurwa, proste sycenie się tym, że inni mają gorzej!

– Przestań pieprzyć, Taras – odpowiedziałem, ale on już wrzucił niedopałek do popielniczki i zakładał kurtkę. Wyjął portfel i rzucił na stół kilka banknotów. Hrywny wylądowały obok pustych kieliszków.

– Masz – powiedział. – Ja stawiam. Dziękuję ci za ten wieczór. Wiem, że to dla ciebie pewnie tylko śmieszne, bezwartościowe papierki, „Monopoly" money. Ale one, wiesz, też się przeliczają na twardą walutę.

– Taras – powiedziałem zmęczonym głosem. – Nie wydurniaj się. Siadaj.

– Aa, pierdol się – usłyszałem – Polaczku zasrany. Wiesz, co mnie najbardziej wkurwia? Że cały, kurwa, tak zwany inteligencki Lwów, nic, tylko „Polska" i „Polska". Przyjaciele Ukrainy. Bracia. Frajerzy jesteśmy i tyle. Pierdol się.

– A my to nie jesteśmy...? – powiedziałem cicho do jego pleców. – Sam jesteś Polak! – Krzyknąłem, gdy już wychodził.

Na drugi dzień nie odbierał telefonu. Miałem kaca. Nie miałem siły. Miałem umówiony na wieczór wywiad z szefem lokalnych nacjonalistów, z którego to szefa zamierzałem w artykule zrobić absolutnego pajaca.

Ale zamiast tego wziąłem taksówkę na dworzec. Kierowca marszrutki nosił kaszkiet w kratę. Był miły i gadatliwy. Przegadaliśmy całą drogę do Szegini. Uścisnął mi mocno dłoń. Było mi wstyd. Naprawdę, czułem wstyd. Czułem, że nie zasługuję na ten uścisk dłoni.

Przy przejściu granicznym pokazałem legitymację prasową ukraińskiemu pogranicznikowi, żeby mnie przepuścił przed kawalkadą mrówek. Przez Ukraińców przeszedłem szybko. W polskim przejściu wszedłem do bramki „dla obywateli UE". Patrzyłem, jak pogranicznicy w bramce obok, w bramce dla gorszych, dla unternarodów, upokarzają jakiegoś starszego Ukraińca. Był siwy i wysoki, miał elegancko przystrzyżoną bródkę. Mówił, że jest pisarzem i że ma w Krakowie spotkanie autorskie. Mówił to zresztą nienaganną polszczyzną. Polscy pogranicznicy, dwudziestokilkuletnie szczyle, mówili do niego per „ty" i pytali, dlaczego nie jedzie promować swojej książki do Kijowa.

Zaciskałem pięści i było mi wstyd.

Tak bardzo, kurwa, wstyd.

Spis treści

SERIA PROZATORSKA

pod redakcją Piotra Mareckiego

JERZY FRANCZAK, *Trzy historye*
SŁAWOMIR SHUTY, *Bełkot*
ŁUKASZ ORBITOWSKI, *Szeroki, głęboki, wymalować wszystko*
PIOTR CEGIEŁKA, *Sandacz w bursztynie*
SŁAWOMIR SHUTY, *Cukier w normie*
MICHAŁ PALMOWSKI, *Przygody Hiszpana Dete*
MICHAŁ WITKOWSKI, *Lubiewo*
MARTA DZIDO, *Małż*
MARIAN PANKOWSKI, *Rudolf*
MACIEK MILLER, *Pozytywni*
EWA SCHILLING, *Głupiec*
ADAM WIEDEMANN, *Sceny łożkowe*
JAN DZBAN, *Dentro*
PIOTR SZULKIN, *Socjopatia*
MARIAN PANKOWSKI, *Bal wdów i wdowców*
JERZY NASIEROWSKI, *Zbrodnia i...*
PIOTR CZERSKI, *Ojciec odchodzi*
MACIEK MILLER, *Zakręt hipokampa*
ŁUKASZ ORBITOWSKI, *Horror Show*
JOANNA PAWLUŚKIEWICZ, *Pani na domkach*
JOANNA WILENGOWSKA, *Zęby*
MARTA DZIDO, *Ślad po mamie*
JAN KRASNOWOLSKI, *Klatka*
MARIAN PANKOWSKI, *Pątnicy z Macierzyzny*
HUBERT KLIMKO-DOBRZANIECKI, *Raz. Dwa. Trzy*
MICHAŁ ZYGMUNT, *New Romantic*
JOANNA PAWLUŚKIEWICZ, *Telenowela*
JERZY FRANCZAK, *Przymierzalnia*
WOJCIECH BRUSZEWSKI, *Fotograf*
KRZYSZTOF NIEMCZYK, *Kurtyzana i pisklęta*
SYLWIA CHUTNIK, *Kieszonkowy atlas kobiet*
JULIUSZ STRACHOTA, *Cień pod blokiem Mirona Białoszewskiego*
NATALIA ROLLECZEK, *Drewniany rożaniec*
MARIAN PANKOWSKI, *Niewola i dola Adama Poremby*
MACIEK MILLER, *Cockring*
DOMINIKA OŻAROWSKA, *Nie uderzy żaden piorun*
EWA SCHILLING, *Codzienność*
MARIAN PANKOWSKI, *Tratwa nas czeka*
PIOTR SZULKIN, *Epikryza*
JERZY FRANCZAK, *NN*
SŁAWOMIR SHUTY, *Jaszczur*
DAREK FOKS, *Kebab Meister*
TOMASZ PUŁKA, *Vida Local*
ZIEMOWIT SZCZEREK, *Przyjdzie Mordor i nas zje, czyli tajna historia Słowian*